FERM

Né en 1888 à Paris, Pa
cultivé. Oxford et l'Ecol
sa formation. Il commen
prend vers 1926 un con
en 1932 dans les cadres o ... *jusqu'en 1944.*
Après des poèmes publiés en 1919 (Lampes à arc, Feuilles de température), *il conquiert une réputation internationale avec* Ouvert la nuit *et* Fermé la nuit *(1922-1923). Le succès de* New York *(1930) l'entraîne à tracer le portrait de* Londres, *puis de* Bucarest.
Entre autres titres, citons aussi une Vie de Guy de Maupassant, Le Flagellant de Séville, L'Homme pressé, *etc.*

Une carrure de Cyclope, des cheveux trop foncés pour ne pas être teints, de l'ampleur dans le geste et de l'emphase dans l'éloquence, tel se présente au premier abord le poète irlandais O'Patah. Il transforme sa chambre de palace américain en mansarde d'étudiant et fait passer un souffle épique dans le désordre sordide qu'il suscite : il joue à fond son rôle de barde celte. Cabotinage ? Oui et non. Il se donne la comédie à lui-même autant qu'aux admirateurs de ses poèmes. Et sa passion pour Ursule n'a rien de factice. O'Patah est le premier des personnages hors série que Paul Morand a rencontrés au hasard de ses voyages pendant l' « entre-deux-guerres ». Leur génie est authentique sous des dehors frelatés et si ces créatures semblent marquées par le dieu du bizarre, c'est que la vie elle-même est bizarre. Avec Egon V. Strachwitz et ses serpents, Paul Morand croque l'Allemagne de 1920 comme il a esquissé l'Irlande en toile de fond derrière O'Patah, comme son ministre de la nuit de Babylone est une preste caricature de nos parlementaires ou l'histoire du Levantin Habib Halabi celle de la réussite. Comparses ou premiers rôles — qu'elles aient nom Ursule, Denyse ou Mrs. Harpye, — les femmes ne sont pas épargnées dans cette brillante galerie de portraits. Derrière chacun d'eux, les survivants de cette Belle Epoque internationale peuvent mettre des noms célèbres en leur temps.

ŒUVRES DE PAUL MORAND

Nouvelles

TENDRES STOCKS (préface de Marcel Proust).
OUVERT LA NUIT.
FERMÉ LA NUIT.
LES EXTRAVAGANTS : MILADY, *suivi de* MONSIEUR ZÉRO.
LA FOLLE AMOUREUSE.
FIN DE SIÈCLE.
JOURNAL D'UN ATTACHÉ D'AMBASSADE.
NOUVELLES D'UNE VIE :
  I. NOUVELLES DU CŒUR.
  II. NOUVELLES DES YEUX.

Romans

FLÈCHE D'ORIENT.
FRANCE-LA-DOULCE.
L'HOMME PRESSÉ.
MONTOCIEL.
TAIS-TOI.

Divers

MONPLAISIR.

Théâtre

LE LION ÉCARLATE, *précédé de* LA FIN DE BYZANCE *et d'*ISABEAU DE BAVIÈRE.

Biographie

FOUQUET OU LE SOLEIL OFFUSQUÉ.

Tirage restreint

BOUDDHA VIVANT, *illustré par Alexeieff.*
OUVERT LA NUIT, *illustré par R. de la Fresnaye, A. Favory, R. Dufy, A. Lohte, L.-A. Moreau et Dunoyer de Segonzac.*
FERMÉ LA NUIT, *illustré par Pascin.*

Dans Le Livre de Poche :

L'HOMME PRESSÉ
OUVERT LA NUIT.

PAUL MORAND

Fermé la nuit

GALLIMARD

LA NUIT DE PORTOFINO KULM

Je pris un ascenseur-express, en forme de carrosse, qui m'arrêta directement à l'étage. Puis un long sentier en moquette. Trente mètres de malles noires, semblables à des caisses d'échantillons et marquées J. P. O' P, avec bandes vertes. Tout d'un coup, un barrage d'orchidées, de liliums, d'azalées, d'où s'envolaient quelques libellules aux pattes de laiton, portant sur les ailes des adresses de fleuristes grecs; comme dans les couloirs des maisons de santé où l'on exile les fleurs, la nuit, pour ne pas incommoder les malades. Au n° 1619 un vestibule commandait trois portes. Je lus une pancarte :

PAS DANS LA CHAMBRE

Par discrétion européenne, je frappai. Aucun des bruits que j'entendis ne me parut une réponse. Je me décidai pour la porte gauche. C'était la salle de bain; elle servait d'archives; la baignoire était pleine de lettres et de manuscrits; il y avait une machine à écrire sur le siège des cabinets. Des jeux de glaces m'obligèrent à ne pas reculer et, en m'avançant dans la chambre à coucher, à avouer ma présence, que déjà ils avaient trahie.

Dans un lit en désordre, comme un torrent de linge, le poids de sa tête ayant défoncé les oreillers, O'Patah était couché, entouré de plusieurs personnes. Je reconnus ses yeux (il y avait à ce moment, dans le *New York American*, un concours d'yeux célèbres et il fallait deviner chaque matin à qui appartenaient toutes ces prunelles ardentes ou voilées). Ceux d'O'Patah aisément reconnaissables, dynamiques, venant droit comme un jet de siphon. Avec les plus grandes difficultés, le coiffeur français de l'hôtel, Marius Calvaire, était en train de le friser si serré qu'on eût dit une calotte d'astrakan.

« Un peu de bandoline, maître ? »

Le cosmétique grésillait et fumait pour ce sacrifice : la victime criait comme un veau qu'on marque.

« Quelle tignasse à votre âge ! Au moins vous êtes sûr de mourir sans avoir besoin de cache-folies.

— De père en fils, dit O'Patah, nous avons des cheveux qui brisent le fil des ciseaux. »

Le téléphone sonnait sans répit, mais personne n'y prenait garde.

Malgré l'apparat de cet hôtel vertical, la chambre était devenue une mansarde de vieil étudiant. Il y a des êtres victorieux qui savent marquer fortement ce qui les entoure, leur chien, leur pantalon, leur femme; la chambre d'O'Patah était, à son image, bousculée, sordide, spirituelle.

Quatre heures de l'après-midi; le jour avait déjà évacué les étages inférieurs, poursuivi par un puissant voltage. O'Patah était étendu, ses lunettes perdues dans des draps fripés qui ne couvraient pas ses pieds nus et sales. Sur la table, qu'on avait tirée près du lit, un flacon de purge débouché, des bouts de papier couverts de notes et de vers écrits la nuit dans l'obscurité, un séchoir électrique pour les cheveux, pareil à un revolver pour clowns, et des bilboquets en taille décroissante. A terre des papiers hygiéniques et toute la presse irlandaise de New York reproduisant en majuscule les détails du débarquement, la veille, à Long-Island, du célèbre poète gaélique.

Dans le mur, un guichet au-dessus duquel on lisait : « *Mettez ici vos bottines sales pour les faire nettoyer* » avait été transformé par O'Patah en chapelle, à cause du mois de Marie, avec des bougies bleues et une image de la Vierge. Derrière le traversin était épinglé un drapeau portant ces mots : *Vive l'Irlande libre.*

Un jeune prêtre dont les cheveux imitaient l'or à s'y méprendre, avec une tonsure toute rose, le cou romantiquement serré du plastron noir, et qui était assis sur le lit, lisait les Evangiles à O'Patah. Il se leva à ma rencontre :

« La presse sera reçue collectivement avant dîner », me dit-il.

Il regarda mes souliers, puis ma canne française et se mit à rire.

« Posez donc ça là, vous allez casser quelque chose. »

Sans doute ne trouva-t-il dans mes yeux que de

l'humilité, sans aucune lueur d'information, car il renonça aussitôt à me prendre pour un journaliste.

« Si c'est pour une demande d'argent, écrivez. Pour les autographes, le jeudi après-midi; si c'est pour un don, ils sont reçus, le jour à l'Equitable, la nuit au bureau de l'hôtel. »

Le prêtre m'expliquait tout cela avec des jeux de mains et de manches. Sans doute pouvait-il mettre les péchés dans son chapeau et en faire sortir de saintes colombes. Lui-même ressemblait à ces oiseaux utiles qui vivent sur les monstres, les épouillant ou curant les dents.

Je tendis ma carte. Il la passa à O'Patah :

« Français, jeune monsieur ? Grenouille amie et alliée.

— Je ne viens pas, maître, vous offrir, comme tout le monde, du drap F. O. B. ou une option sur de vieux fusils livrables en rade de Galway. Le hasard veut que je sois mobilisé aux Etats-Unis. Ma profession : sculpteur. Je viens saluer en vous un grand allié celte, le plus célèbre et le dernier des bardes irlandais, et vous demander la permission de faire votre buste. »

Marius Calvaire, que j'avais rencontré le 14 juillet, à la fête du Consulat général, crut devoir intervenir et, me désignant :

« Le maître peut avoir confiance, monsieur est un artiste. Le général commandant la mission française l'a choisi pour se faire mouler les pieds. »

O'Patah rejeta ses draps, se leva, puis revêtit une robe de chambre japonaise où des cigognes survolaient des chrysanthèmes brodés. (Ce n'est jamais sans étonnement que, dans les couloirs d'hôtel je vois passer des gens d'âge ainsi vêtus, car les kimonos fleuris sont réservés, au Japon, aux fillettes ou aux courtisanes, les personnes sérieuses se contentant de couleurs sobres relevées d'un monogramme.)

« J'aime les Français, me dit O'Patah, parce que, comme nous, ils ont laissé leurs petits os partout. Notamment dans les cavernes de Cork, en 1798, pour sauver l'Irlande. Et puis ils ont eu de grands hommes, des hommes par qui, quand ils pètent, la terre est ébranlée. Il n'y a que la Grèce, Rome et la France qui aient ça dans leur histoire; demain ce sera le tour de l'Amérique à cause de ses Irlandais. »

Moi, pour le faire enrager :

« Et les Anglais ?

— Non, fit-il avec humeur. Les Anglais transportent partout l'Angleterre avec eux. En toute partie du monde, ce n'est jamais qu'Albion. Ils sont donc condamnés à n'être que des célébrités nationales, des gloires locales, ce qu'il y a de plus redoutable au monde.

— Mais, des héros, les Irlandais en ont fourni à l'Angleterre ?

— Apprenez que des hommes qui, durant leur vie, ont fait des mots d'esprit et des gestes désordonnés n'entreront jamais à Westminster... (Arrêtez ce ventilateur on ne s'entend plus !) »

O'Patah était un homme de soixante ans que son souci de noircir vieillissait encore. Il ressemblait à ces monsignori qu'on rencontre dans leur voiture, à Rome, aux environs des Quatre Fontaines. Ils ont les cheveux noirs, trois mentons bleus, un nez insolent, relevé comme ceux des valets du répertoire, les oreilles décollées et un charmant regard limpide; on les jurerait latins jusqu'à ce qu'on les entende parler anglais et qu'on les voie, ayant longé la via Sistina, entrer dans un grand palais sournois. L'on devine alors un prélat irlandais allant à son Collège.

« Father Crumb — dit-il, en s'adressant à son secrétaire ecclésiastique —, donnez à ce jeune artiste ma notice biographique; il la lira pendant mes exercices. Il est bon qu'il étudie son sujet. »

O'Patah fit ouvrir par un domestique nègre un placard au fond duquel je vis pendu un sac de sable; puis il retira son kimono; il apparut nu, le torse d'une incroyable puissance, boursouflé de muscles, principalement dorsaux, mais noyé sous un pelage noir et épais; puis, il se fit bander les mains, enfila des gants de huit onces et se mit à bourrer le sac de crochets, du droit puis du gauche, courts et d'une extrême violence.

Je lus :

« *O'Patah* (Jeremiah Patrick), homme de lettres, né à Inishkea, le 13 mai 1862; études primaires à Duncormuck School. Premier voyage aux Etats-Unis, New York, à l'âge de seize ans; forgeron (1878); fondeur de cloches pour locomotives (1882); séjour à Paris, hôtel de l'Odéon (1890). Voyages à pied dans les Balkans et en Asie Mineure. Pèlerinage en Terre sainte (1893); membre du Counradh na Gaedhilge (1894); collaboration au

Yellow book, au *Harper's Magazine*, à *La Vogue*, à *La Revue blanche;* fait la campagne des Philippines comme correspondant de l'*Irishman* (1896); *Etudes sur le forage des puits en Australie* (1897); nogociant en bananes à la Barbade; *Légendes celtiques* (1898); violente opposition à la guerre des Bœrs. Dirige le *Irish Hooligan* (1899); *Les Indulgences et les Rêves* (1902); achat d'un domaine à Buxton (1903)... »

A ce moment, comme le téléphone ne cessait de sonner, O'Patah interrompit ses exercices, prit le fil entre ses dents et le coupa net.

« ... Procès en diffamation intenté par les diamantaires sud-africains (1904); Travaux forcés à temps pour outrages aux magistrats (1904-1906); Membre de la Société fabienne; *Plaidoyers socialistes* (1907); *Poèmes à la Sphère* (1908); *Le Chant de Kilmainhan* (1909). *Essais de Communisme agraire; L'Avenir druidique* (1912); *Les Pierres levées* (*épopée*) (1913); *L'Irlande fait son devoir* (1916). Membre du Reform Club, Royal Automobile. Membre de la Ligue de défense canine; régime végétarien. Exercices : bicyclette, échecs, pêche au saumon, boxe, maisons hantées. Adresse : Stephen's Green N° 18, Dublin. Antigone House, Drogheda. Médaille d'Honneur (vermeil), à l'exposition de Buffalo. Officier de l'Ordre d'Arcadie. »

« Cela vous étonne de me voir taper dur ? A

dix-huit ans j'étais le meilleur frappeur d'enclume des usines Baldwin. »

O'Patah me prit par la cravate, m'amena au jour, fixa dans mes yeux ses yeux gris, malins et faux. Je sentis son cœur battre très fort et il était en sueur, parfumé comme un débardeur.

« Je suis amoureux d'un ange terrible, me dit-il. Puisque vous voulez modeler mon crâne, il faut bien que vous sachiez ce qui s'y passe. Les volumes ne sont pas les mêmes chez un homme amoureux et chez un qui ne l'est pas; les vieux comme les jeunes, nous sommes diablement plastiques, au gré des événements. Vous avez dû vous en rendre compte ! Il s'agit d'une de vos compatriotes; elle se nomme Ursule Cohen.

— De la part du remmailleur de bas », cria, au travers de la porte vitrée, le garçon d'étage. Et il jeta dans la pièce un colis, comme des journaux d'un train en marche.

O'Patah repoussa du pied le paquet sous un meuble et fit de la facture une boulette qu'il jeta sur le haut de l'armoire à glace.

Autour de lui tout était nervosité, génie-bouffe, impétuosité et négligence; noyé d'une évidente grâce méridionale qui enchantait, battant la lourde atmosphère humide de la côte atlantique en une crème légère, un peu acide : l'humeur irlandaise. Chaque fois que j'eus l'occasion de revoir O'Patah j'eus l'impression d'un ballet donné par quelque monarque invisible, où chacun, en l'approchant, entrait. Les grands hommes projettent autour d'eux une atmosphère de respect et d'émotion, d'adoration. Autour de celui-ci, tout vibrait, se mettait à danser, à mentir. On eût dit d'un petit lever d'opéra, celui du *Rosenkavalier*. Il s'agissait pourtant d'un très grand poète. Sans doute, avec Claudel, l'Ossian chinois, le plus grand poète vivant. Aucun café, aucun salon, aucun continent n'avait pu l'annexer. Nous savions ses vers par cœur. On télégraphiait ses nouveaux poèmes dans tout l'Empire, à une livre le mot, etc. Une pureté de forme qui n'était pas seulement une perfection de styliste, mais l'expression naturelle du génie de sa race, la meilleure d'Europe peut-être. Ce génie triste et concentré, quand l'Irlande n'était plus qu'une cause désespérée, qu'un peuple stérilisé par un passé géant, O'Patah l'avait rajeuni, enrichi de l'antique goût d'aventure. Il vivifiait d'éclats de rire, de délires, de hasards, de toutes les conquêtes poétiques modernes, ces paysages celtiques désolés, jadis traversés de gémissements.

Je finis par lui poser la question que, du rivage ou même des bateaux-pilotes, par mégaphone, on lançait alors à chaque personnage arrivant d'Europe :

« Et la guerre ?

— La guerre ? J'en viens; de l'Angleterre à la fine taille, et même du front. J'ai été prêcher à Amiens, à Boulogne. Les Allemands doivent être vaincus, quoique je croie, entre nous, qu'il conviendrait que la victoire totale fût épargnée aux Alliés. Pour le bien de l'Irlande, il faudrait une paix... difficile. Mais ne répétez pas cela, car les temps ne sont pas mûrs et je ne serais pas compris. En attendant je fais des discours dans les parcs pour qu'on envoie plus de colis à nos frères irlandais prisonniers en Allemagne; je suis venu ici pour cela. »

Il ne fit aucune allusion à ses frères irlandais prisonniers en Angleterre. Il omit de me parler de la « grande tâche de la rédemption nationale irlandaise », de la « pauvre Erin », « de la patrie du porc au foyer » et autres clichés sentimentaux auxquels un Irlandais, d'habitude, résiste peu. Je croyais connaître ses sentiments antianglais et son rôle dans la semaine de Pâques 1916; l'entendre prêcher ainsi la bonne parole confirmait les bruits qui couraient à New York que la Vice-Regal Lodge de Dublin payait largement ses services. Ou peut-être, comme cela arriva pour Parnall et pour bien des révolutionnaires sur le retour, avait-il pris goût à la politique régulière ? Ou peut-être avait-il renoncé à regretter et à venger les « héros de la rébellion » parce qu'après tout c'étaient en même temps des écrivains, des confrères ? En tout cas, j'eus l'impression, dès ce moment — impression qui ne fit que croître — qu'O'Patah était un personnage compliqué, jouant plusieurs jeux, et curieusement difforme sous une apparence de verte vieillesse, évoluant à sa façon derrière une mise en scène de dignité, de bonté et d'amour de la justice. Loin d'être « tout d'une pièce », comme il disait, je le découvris, à l'usage, étonnamment double : il avait deux regards, deux talents, deux voix; enfin deux tailles, l'une, petite, lorsqu'il se tenait assis sur son bassin, l'autre presque grande, lorsqu'il levait la tête et portait dans ses souliers des talonnettes de liège. Il avait aussi deux écritures, absolument dissemblables, ce qui l'avait rendu célèbre parmi les graphologues.

Dans les coulisses, parmi les fleurs et les factures, diva fatiguée, coquette vieillie, il vivait au milieu de parasites, d'amoureux, de journalistes et de fournisseurs, en proie, sous des apparences de renoncement et des dehors apaisés, aux passions violentes, demeuré au XXe siècle un poète d'aventures élisabéthain.

De minute en minute, on apportait de la correspondance; O'Patah demanda au Père Crumb de l'ouvrir, ainsi qu'au domestique nègre et à moi-même. J'eus pour ma part la corbeille à papiers pleine de télégrammes que des boys, rapides comme une gifle, déversaient dans la chambre. Le ventilateur agitait les cheveux de l'ecclésiastique, tout autour de la tonsure immobile; Crumb posa sa pipe et dit :

« Je classe à part les présents que Notre-Seigneur nous envoie; on est prié de me les passer. »

A O'Patah on offrit, entre quatre heures et quatre heures trente, une propriété en Alabama, des terrains aurifères, cent quatorze boîtes de chocolat, des panthères, un castor apprivoisé qui jouait au baseball, une assurance sur la vie, une récolte de tabac sur pied, des tapis de prière, une écurie de course, un faux Rembrandt.

O'Patah dépouillait son courrier avec ses dents et ses coudes, car il n'avait pas retiré ses gants.

« Dire que ces choses-là m'amusent encore; depuis le temps! C'est que je n'ai pas toujours été abonné à la gloire. Ma vie, voyez-vous, a été illustrée de gestes qui ne sont pas d'un gentleman et ma poésie d'images qui ne sont pas d'un gradué d'université. C'est vous dire tout ce qui me sépare du monde, en particulier du monde anglais. »

*

Une rose à la boutonnière, un homme d'Orient entra, suivi d'un page porteur d'un phonographe.

« Voici ma carte. »

Nous lûmes :

O'PPENHEIM

L'accent était ajouté à l'encre. Chacun apprécia cet hommage à l'Irlande. M. O'ppenheim avait perdu un œil, à la suite, dit-il, de l'explosion d'une bouteille de champagne qu'il fabriquait lui-même dans une armoire.

« Pouvez-vous me donner le droit exclusif d'enregistrer votre discours de demain à Tammany Hall, pour les disques Junius ? Votre prix sera le nôtre. » Et il tira un carnet de chèques de sa poche-revolver.

« C'est cinq mille dollars », fit sans hésitation O'Patah.

J'entendis céder le pointillé : le chèque passa aux mains de Crumb.

« Que le maître veuille bien s'approcher », fit M. O'ppenheim, en grattant une barbe noire pareille à du poil de pubis, et me donner une première audition.

O'Patah mit ses mains en porte-voix.

« C'est parfait; un tout petit peu plus haut.

Il vaut mieux que la voix tombe d'aplomb sur le disque. Si vous n'y voyiez pas d'inconvénients, maître, je souhaiterais que vous montiez debout sur votre lit. »

O'Patah sauta sur le sommier métallique et commença :

« Je suis né dans les îles d'Ouest, au large de l'Atlantique, le premier et le plus cordial accueil de la mère irlandaise aux vents américains. Elevé parmi les pêcheurs, sous un toit de mousse, entre des murs en guano. Devant la fenêtre s'étendaient, éternelle et unique neige, les champs d'os de poisson. Aux cyclones, pour les apaiser, mon père et les tueurs de phoques qui l'avaient élu roi, apportaient au haut de la falaise des idoles de laine.

« Jamais la consomption, la religion, le service militaire n'ont pénétré dans ces quelques îles où l'on adore encore le soleil et les fontaines. Au-dessus des courants en forme de roue tourbillonnent les oiseaux de mer. Et moi-même je fus nourri, dès mon sevrage, d'huile de pétrel et de porto. A vous tous, mes frères irlandais d'Amérique, j'apporte le souvenir d'Inishkea, de ces îles nord ouest de Connaught, où les arbres se sont affaissés et fondus, confiture fossile, en une tourbe à l'âcre fumée. Je viens recevoir de vous l'hospitalité, l'espoir d'un avenir meilleur, l'assurance que vous participerez avec nous à la victoire des Alliés, qui doit faire régner sur le monde une nouvelle justice; et de même que les courants marins nous unissent aux plus tièdes rives américaines, à ce golfe du Mexique dans lequel, au chaud, se réfugient les Antilles, comme les soldats, l'hiver, dans les cuisses des juments, de même l'affection de deux continents se trouve, en ma personne à jamais scellée. Souvent sur nos rivages arrivent par la mer, réglée comme une femme, des graines tropicales et malgré l'eau salée, elles sont encore un repas pour nous. Et aussi des lianes, des pirogues taraudées par les vers, et, une fois, tout un tronc d'acajou où jadis des oiseaux de couleur s'étaient posés...

« Nous demeurons fidèles, mais libres. Ici, où toutes les races se fondent, la forme des crânes irlandais demeure irlandaise. Jadis coupeurs de bois et porteurs d'eau, nous nous sommes élevés à la politique, métier plus dur encore. A la politique municipale d'abord, et de là, à une action plus vaste qui n'a que le monde pour frontières. L'Irlande a toujours été internationale : romaine, française, américaine. Race guerrière, nous avons donné notre sang pour former les races conquérantes qui conduisent aujourd'hui l'univers. Nous avons fourni des recrues à toutes les armées, nous avons vaincu partout... sauf sur notre sol.

« Puisque me voici parmi vous, au Waldorf Astoria, sur un continent nouveau, lié à vous (plus étroitement que les Cunarders) par ces liens du cœur qui unissent les émigrants à leur famille, les gratte-ciel à la chaumière de tourbe, laissez-moi vous réciter, en gaélique, mon poème, tiré des *Chants celtiques,* en l'honneur d'Oilean Ur, c'est-à-dire des Amériques, de l'Ile heureuse, mirage des pauvres Irlandais... »

A mesure que le bruit s'était répandu dans l'hôtel qu'O'Patah parlait, les journalistes qui dans le salon Marie-Antoinette attendaient, les clients qui dans les chambres se rasaient avant dîner, les maids et les nourrices irlandaises, cygnes gris, abandonnant les enfants dans Gerald Park, les laveurs de vaisselle, les lingères, les détectives, les pédicures, le gardien du magasin frigorifique pour la conservation des fourrures, se massaient dans le couloir et même autour du lit.

Quand je serai couché sous une tombe noire
Et que dans les loutres industrieuses
Mon âme renaîtra...

commençait O'Patah...

Irlandais, porteurs de fardeaux
Remueurs de terre,
Porterez-vous plus légèrement la liberté ?
O moissonnerez-vous, dites ?
O moissonnerez-vous à nouveau
Eternellement pour autrui ?
Et vous, les ancêtres
Couchés avec vos filets et vos harpons
Dans le guano et les dépôts coquillers,
Abrités par des cyprès, frères des cyprès florentins ?

Quand il arriva à la strophe :

Chante-t-elle aussi en hiver la pie irlandaise...

tout le monde s'agenouilla et reprit en chœur sur l'air célèbre de Cleverley :

O moissonnerez-vous, dites ?
O moissonnerez-vous éternellement pour autrui ?

Les Irlandais passent sans transition de la paresse au pathétique : la poésie est, avec le whisky clandestin et la contrebande des armes, leur plaisir le plus cher; sans oublier la liberté, ce plat national si coûteux. L'exaltation gagna l'hôtel; les voix faisaient trembler l'armature de fer des plafonds, les conduites d'eau ruisselèrent, les escaliers de service se tordirent, le toit gondola; il y eut des bourrasques de jeunes gens à lunettes d'or, à dix-huit étages au-dessous, jusque dans la rue, manifestant avec des trompes, des klaxons, des crécelles, debout dans leur Ford.

Bien que le jour s'enfuît, bouté dehors par les affiches lumineuses, O'Patah dut se montrer, au balcon de fer pour les incendies; on voyait dans Broadway la foule, comme de la grenaille de plomb; des étudiants débouchèrent de l'Institut métaphysique, avec des chapeaux de papier, et le cri : « Vive l'Irlande libre ! » monta plus vite que les ascenseurs.

« Ecoutez *Pat !* Ecoutez le vieux *Mick !* (Irlandais).

— Vive le vieux grand *Boss !* »

Tout le monde s'embrassait.

Comme je me penchais au balcon, derrière O'Patah et que je pensais au soir de *Mérope,* tel que le décrit Grimm dans sa lettre sur l'apothéose de Voltaire : « des flambeaux ! des flambeaux ! pour que tout le monde puisse le voir ! » je sentis dans mon dos un corps nerveux et très chaud. Je me retournai, et sans l'avoir jamais vue :

« Vous êtes Ursule ? » demandai-je.

Pour toute réponse, elle s'agrafa à moi et me passa la langue sur les lèvres.

« Cela rapproche plus qu'un discours », dit elle.

Des locomotrices du chemin de fer aérien lançaient leur foudre. On entendait l'orage, cinq secondes après, sur le pont de Brooklyn.

*

Je n'indiquerai pas toutes les conséquences que ce baiser eut pour moi. Il faut dire qu'il était exceptionnel. Liquide et durable, comme un bol de lait chaud; laissant si enivré qu'il fallait faire effort pour ne pas tomber. Ensuite, presque à votre portée, demeurait une bouche qui n'en finissait plus, entaille de hache, et, au bord des lèvres, une langue plate d'animal affectueux. Mais derrière cette espèce de sourire, le démentant, des yeux de panthère qui va bondir, mi-clos, guettant la défaillance du dompteur. Je n'ai jamais rien rencontré d'aussi félin qu'Ursule. Une charmante « nature », qui attendait pour prendre à son tour tout son plaisir que le vôtre fût devenu de la souffrance. Ursule rendait au pauvre mot « impitoyable » — qui a l'air mou et trempé — une vigueur inconnue. Que voulait-elle ? J'errai quelque temps (tout ceci n'est pas construit après coup, avec des raclures de mémoire), autour de ce vase clos. Au début on fait le tour d'un être en se disant « Par où entrer ? ». Je cherchais dans ses mains sa ligne de cœur et dans cette ligne de cœur je me cherchais moi-même; sous ses ondulations Marcel, où trouver la bosse de la destructivité ? Comme elle était douée ! Ce me serait un bien grand soulagement d'en apporter ici le témoignage.

Son père était revendeur de déchets de drap; elle avait eu une enfance de jeune blaireau, dans un trou, puis dans un autre. Elle était venue on ne sait d'où, n'allait nulle part, quoiqu'elle eût l'air de connaître son destin. D'abord à Londres, puis en Amérique, elle avait fui la guerre comme un spectacle écœurant, contrariant (aucun drapeau ne pourrait faire une robe, même en grande largeur). Elle se laissait exporter, réexporter, d'un pays, d'une nationalité à l'autre, avec indifférence. Sûre d'avoir toujours un marché, comme les denrées précieuses. Acceptant toutes les hospitalités, mais en franchise de tous droits. Arrivant d'emblée à une anarchie organisée, à un exercice international des sentiments auxquels les sociétés anonymes ou les plus grands génies n'atteignent que difficilement. Je n'ai vraiment rien su d'autre, mais pourquoi chercher ? Il est évident que rien sur elle n'avait marqué, qu'avec son air flexible, ses yeux toujours soumis, elle allait où elle voulait, partait quand il lui plaisait, s'absolvant elle-même, jamais avilie, même par les plus bas contacts, ignorant la déroute, d'un courage égal devant les sommations respectueuses et les autres; réfractant toutes les lumières, n'ayant pris aucun brevet pour le redoutable et secret métier qui la conduisait vers nous, toujours aiguë, indivisible, d'une indépendance physique envers tous. En un mot, parfaitement noble, c'est-à-dire ne payant pas l'impôt.

Les trois mois qui suivirent peuvent compter parmi les plus mauvais de ma vie. Ursule se donna de suite, puis se reprit si vite que je doutai de l'avoir eue. Si bien que toutes les sagesses qu'on déploie pour se dérober à de trop forts souvenirs ayant été négligées, elles me firent défaut plus tard quand le désir revint : le plus affreux des désirs puisqu'il se parait de vérité. A peine m'eut-elle laissé dans un lit défait, plein d'aubépines et d'une neige d'épingles neige, qu'elle se mit à me fuir comme si elle redoutait — c'était me faire bien de l'honneur — la contagion d'un mal qu'elle ne voulait au fond que bien faire pénétrer en moi. Un jour qu'elle était endormie, je m'emparai de son bâton de vermillon pour les lèvres et j'inscrivis DANGER, en capitales rouges, sur sa poitrine. Je n'en pris pas pour cela plus de précautions. J'essayais de badiner, en l'appelant : « ravissant loup, loup ravissant ». En vain. Toutes les humiliations, les mensonges, les déceptions me furent ménagés — (on eût dit, avec art : nullement, car tout chez elle était spontané). Elle me les servait de la façon la plus affectueuse; parfois, quand elle m'avait joué, dans une soirée, quelque mauvais tour, elle me téléphonait peu après, au milieu de la nuit, pour savoir ce que j'en pensais. On eût douté de sa cruauté si elle n'avait eu ces façons originales de venir ensuite, d'elle-même et très vite, en constater les effets; ce que j'appelais venir vérifier les points de chute.

« On peut bien dire qu'on ne bâille pas avec moi », déclarait-elle. Et elle ajoutait toujours :

« Je vous bénis. »

J'ai été terriblement béni. J'avais beau piétiner les fleurs qu'elle me donnait, me débarbouiller soigneusement et me laver les mains en la quittant, son odeur restait en moi. Je me rappelais le mot d'O'Patah : « Quand elle me fait les honneurs de son corps, je pense à un plancher d'échafaud, muet sur toutes les exécutions qui ont précédé la mienne. »

Le spectacle d'O'Patah, autre victime d'Ursule, cette terreur rose, venait heureusement me distraire. Il ne réagissait pas comme moi, mais comme un homme de son âge, avec plus de retenue, de force et de connaissance des femmes. Mais il souffrait aussi, et peut-être le traitait-elle plus durement encore, des besoins, à ce que j'avais entendu dire, la mettant à son égard dans une plus étroite dépendance, qu'elle ne lui pardonnait pas. Il lui était attaché par une série de distractions extraordinaires qu'elle lui donnait, disait-elle, bien contre son gré, et dont les voisins se plaignaient, à cause du bruit. Malgré cela : il parlait de « franchise des sens », disant : « Moi je suis un tempérament fruste, élémentaire » ou : « Je suis remarquable par la violence de mes réflexes, comme tous mes compatriotes », exigeant de son auditeur cette crédulité qui n'est pas le moindre des défauts dont l'Irlande, à tort, s'enorgueillit.

*

Vers cinq heures du matin, à travers la porte blanche de la cabine, on annonça Kingston, ou, ainsi qu'il faut dire maintenant, Dunlaghan. Comme l'électricité laissée allumée par un homme ivre, les phares brillaient en plein jour; sur le pont, le vent frais emplissait la tête vide, et l'odeur du bacon tordait les entrailles. Le ciel était gris et prêt à tout absorber, papier à filtrer. Le bateau crachait de l'eau chaude par des trous. Je vis que nous étions déjà au centre de la baie, gueule largement ouverte, relevée aux coins sur des falaises en forme d'incisives. Du fond de cette gueule sortaient comme de celles des dragons des fumées noires : Dublin.

J'avais reçu quelques jours auparavant un sans fil d'O'Patah. Il avait su, sans doute, que le buste que j'avais fait de lui à New York avait été accueilli avec faveur à Paris, car il me priait de venir le trouver à Drogheda pour un projet de monument funéraire. Voulait-il faire quelque libéralité municipale ? Je revoyais cette année 1918-1919, qui jamais ne ressemblera à aucune autre, sans saisons ni climats, ni verdure, ni anniversaires; toute traversée d'événements brutaux, de sacrifices, tordue par les dernières offensives, fendue par l'armistice, déformée par la rhétorique des orateurs, les excès de billets de banque; parcourue par un grand nombre de personnalités en jaquette, de héros, de statistiques; de fanfares, de décorations; de repentirs et de systèmes politiques; si éloignée en un mot de ce qu'eût dû être ce retour à la paix qu'on avait imaginé si réfléchi, si religieux, tant cette vie nouvelle paraissait plus belle et même plus dangereuse que la mort à tous les étages qui l'avait précédée.

Nous laissions la baie à notre droite, larges étendues de boues découvertes, mais qui, lorsque le soleil s'y réfléchissait, prenait un éclat qui donnait l'illusion de l'eau. Avec leurs filets, des pêcheurs pataugeaient dans ce court-bouillon.

La guerre, peu à peu, quittait une terre prise de cette fringale des convalescents qui fait croire à une faim véritable (jusqu'à ce que monte la température). Mais en Irlande, à la suite des élections, elle recommençait, s'engouffrant dans le canal de Saint-Georges, attisée par cet appel d'air, entre deux mers; une vraie guerre enfin, sans financiers congestionnés, sans négociateurs pâles, sans l'effroi des dommages matériels, sans la nervosité d'une opinion pressée d'en finir ou le savoir des stratèges. Et puis, pas une guerre dans les champs, ennuyeuse comme un sport, mais une vraie guerre de citadins, élevée à la hauteur d'un divertissement urbain.

Il y avait un an maintenant que j'avais rencontré O'Patah au Waldorf. Je l'avais fréquenté assidûment jusqu'à l'heure de l'armistice, où je quittai les Etats-Unis. Il avait été de meeting en interview, de démonstrations en banquets, ivre, imprévoyant, mais avec un instinct très sûr de ce qu'il fallait pour plaire là-bas, c'est-à-dire à la fois religieux et comique, fils de ces « Irlandais sauvages » dont parlent les premiers chroniqueurs anglais, de ces bardes raconteurs d'histoires, toujours patriotiques et clamant aux Américains, en leur montrant l'Atlantique, la phrase célèbre qui décida de la vocation de saint Patrick : « Un bateau est préparé pour vous. »

Je ne l'avais pas revu depuis son retour en Irlande où il arriva au début de 1919. Tout ce que j'avais su c'est qu'il avait adopté, après les élections, si nettes du point de vue irlandais, une attitude assez au-dessus de la mêlée, cherchant à ménager les loyalistes et les irréguliers, la R. I. C. et les I. R. A., pour ne pas voir sa maison brûlée : assez désobligé de ne plus pouvoir se contenter d'une attitude comme celle qu'il avait adoptée pendant la Grande Guerre (moyennant quoi on lui avait confié sa mission de propagande), où il ne s'agissait que de célébrer une Irlande idéale, secondant (V. les affiches) l'Angleterre dans sa lutte pour la justice et la démocratie. Tout était alors si facile avec un Home Rule suspendu et une conscription non appliquée...

Grâce aux cartes postales que m'envoya O'Patah j'appris que les déclarations d'indépendance avaient reçu son approbation (sauf en ce qui concernait le style), mais qu'il avait d'autre part refusé de siéger au Dail Eirean. Je répondais à ses cartes, non parce que j'étais fier d'entretenir des relations avec un si grand écrivain, mais parce que j'espérais avoir des nouvelles d'Ursule; il ne me parlait jamais d'elle.

A six heures du matin, dès mon arrivée en gare d'Amiens St., je trouvai, au lieu de porteurs, des réguliers irlandais qui me firent mettre haut les mains. Dublin était désert, habité seulement de détonations.

En raison de l'heure et aussi parce qu'il y avait ce jour-là, à cause d'un jour de fête, une vraie bataille. Les journaux de Londres n'en parlaient pas encore. La lutte de sept cents ans avait repris dans la nuit. Au coin des rues, des soldats en battue, le fusil à la main, m'épaulaient, arrêtaient mon équipage irlandais — un cheval sans voiture portant, pendu à son flanc droit le cocher, et à son flanc gauche moi, avec ma valise sur les genoux; trois fois on me fouilla jusqu'aux doublures. La grande semaine de 1916 est restée chère à tous les cœurs dublinois. On en voyait encore des traces dans Sackville Street, autour de la colonne de Nelson, à l'hôtel des Postes à peine reconstruit, et sur de grandes bâtisses sans toit, aux fenêtres ouvertes sur un ciel habillé de ces beaux nuages irlandais, magnifiques constructions maritimes, toutes nacrées, traversées d'averses grises.

A l'hôtel Clarence, ma chambre donnait sur les Four Courts, gracile Panthéon, et sur les quais de la Liffey dans l'eau de laquelle tremblent des maisons XVIIIe siècle dont la pierre gris cendré a la couleur des boiseries. Des mouettes poussaient un cri inarticulé comme un cri politique. Résolu à prendre du repos, je me mis dans les oreilles des boules de cire, qui, soudain, firent s'éloigner l'horlogerie inepte des mitrailleuses...

Je finis par entendre des coups de pied dans ma porte. J'avais dormi jusqu'à midi.

« Honey ! — Je suis en ville depuis hier, me dit O'Patah, en entrant dans ma chambre; j'habite ma maison de Stephen's Green; vous ne seriez pas arrivé jusqu'à Drogheda car on fait sauter ce matin le pont du chemin de fer. Mais je pourrai vous recevoir en ville, bien que mon cuisinier soit en ce moment à la bataille comme colonel et que ma maison abrite depuis hier soir les républicains, qui y ont installé des mitrailleuses; c'est le cas de presque toutes les maisons d'angle qui prennent les rues en enfilade.

— Voilà bien ce vieux sang batailleur...

— Hourra pour l'Irlande libre ! naturellement. Hourra pour les pays opprimés ! Les prolifiques pays mangeurs de patates ! Hourra pour n'importe quoi, du moment qu'il y a des coups à donner et à recevoir.

— Vous êtes une force de la nature, maître.

— Oui et non. Et oui, car au fond tout m'est indifférent, comme à la nature. Et puis maintenant à quoi bon vivre !... »

Il me regardait avec des yeux mis au plus petit diaphragme, pour prendre une vue plus nette de sa pensée ou de la mienne, des yeux furieux aussi, pareils à ceux du Colleone, tels qu'on pouvait les voir de près dans la chambre du Palais de Venise, à Rome, où il s'était réfugié en 1917.

« Les Irlandais sont des mendiants, disait O'Patah, qui haïssent la charité, par dégoût du confort matériel. En outre (Synge a été trop exclusif), nous sommes *tous* des baladins. Dans les rues, des barricades; dans les prés, des clôtures; (ce que les Anglais, qui sont des piétons dans les villes et des chasseurs à courre à la campagne, n'admettront jamais). Nos paysans sont un peu comme les vôtres, avec le goût de la numismatique en moins. Mais... pas de mesure, surtout pour boire la *poteen* et taper son prochain. En somme, beaucoup plus du Midi que vous. Une colonie pénitenciaire où l'on peut se soûler, ce n'est déjà pas si mal. Dans les deux camps, on vient me trouver : « Prenez vos responsabilités », me dit-on. Et les prendre à qui ? On trouve que je joue sur les mots ? C'est encore là jouer sur parole. Au fond, j'ai horreur de voir mon journal du matin confisqué et d'être taxé dans la rue par des terroristes. C'est pour cela que j'ai refusé d'être ministre de la Justice dans le Gouvernement provisoire. On ne fait pas marcher un pays avec des acteurs ou des littérateurs. Ce qu'il faut, pour un poète, c'est tâcher d'appartenir le plus vite possible à la mythologie. Tout vaut mieux que de s'amender. Amande amère. Efforçons-nous d'éviter, d'une part, le nœud coulant de la prison de Kilmainhan, et, d'autre part, les lauriers de poète lauréat. »

En fait, il avait déjà eu soin d'annoncer sa neutralité, car sur sa veste norfolk il portait, en brassard, une grande croix rouge; une autre sur son chapeau et une encore à chaque lanterne de sa Ford (il avait deux Napiers, mais il sortait une Ford les jours de réquisition ou de bataille).

Mangeant le sucre qui restait de mon petit déjeuner, longtemps il continue ainsi, Irlandais victime de son imagination, prêt à signer un bon mot de son sang, tantôt indifférent comme un chemineau, tantôt aigri comme un fonctionnaire révoqué. Et toujours cette éloquence humoristique de la race, qu'il emploie à se railler lui-même, ce qui l'oblige à une extrême confusion d'idées auxquelles il ne croit pas, mais dont, sentimentalement, il est la première victime.

Un obus de gros calibre fit tomber la coupole d'une église, sous nos yeux, et un paquet de tirailleurs, comme une botte d'asperges.

« Si cela continue, déclara O'Patah, nous allons voir les dômes dôm...inés (*The domes will be doomed*). »

Sa bouche rejoignit ses oreilles décollées.

Il était heureux de m'apprendre qu'il y avait eu dix-sept morts au combat des premières heures de la matinée, heureux qu'il n'y en eût pas plus, mais heureux cependant qu'il y en eût dix-sept.

« Ça n'a pas vingt ans, ça se fusille avec un cœur, par-dessus cette douce Liffey dont les eaux sont parfumées des roses et des fraises de Palmerston... Ah ! où sont les temps heureux de l'obstructionnisme parlementaire et des vœux d'un nationalisme platonique... Que sont les sacrifices humains des druides en face de ceux d'aujourd'hui ? —

« Moi, vous savez, je suis une intelligence pure. Le patriotisme m'apparaît certes comme une chose magnifique, mais aussi comme une querelle de clocher. Clochers avec coqs, coqs avec reniements. Exalter ma race, évidemment, j'ai passé ma vie à ça. Mais le patriotisme c'est encore de l'individualisme exaspéré. (N'allez pas raconter cela.) A force d'avoir été nationaliste je suis devenu célèbre dans toutes les nations à la fois, c'est-à-dire international. Un bon tour qu'on m'a joué là. En cherchant trop mon pays, je l'ai perdu. Que faire ? Mourir embaumé dans le scepticisme et me réfugier, comme je vous en donnais tout à l'heure le conseil, le plus tôt possible, dans la légende. Cet éternel extrémisme, ce merveilleux dans lequel vit l'Irlande me donnent la nausée, à la fin ! Quoi qu'en dise l'Evangile, les tièdes c'est bien agréable. »

Puis, craignant d'avoir été un peu loin, il soupira hypocritement :

« Mon don Quichottisme me tuera !

— Est-ce parce que vous voulez en finir, dis-je, que vous m'avez fait venir ? Quel mausolée vous élevez-vous ? »

Pour la première fois, sa figure prit un aspect vraiment tragique.

« Un mausolée, oui... Pour moi aussi... Plus tard, un peu plus tard; je vous ferai signe. Nous parlerons de tout cela un autre jour; en ce moment, je n'ai pas la force... Les nerfs... La grosse artillerie, c'est bon pour la campagne. Ces obus ne sont pas faits pour éclater dans les chambres; si cela continue, je vais déménager, dit-il en se touchant le front. Ces haines de races sont terribles; je sais qu'il ne resterait rien à une race de poètes et d'artistes si elle cessait d'être maudite, mais tout de même... Vous les Français, qui mourez pour des formes de gouvernement sans jamais vous inquiéter du fond, vous êtes aussi bêtes que nous... »

Il ouvrit la fenêtre et cria dans la rue :

« F... moi la paix ! Je suis immortel; je n'appartiens à aucun ordre religieux, j'ai une situation dans le monde seulement. A bas les fées ! Voyez où elles ont conduit l'Irlande. Sentinelles ! Saint Patrick et Lloyd George se valent. »

Une volée de balles l'obligea à s'aplatir.

En somme O'Patah n'était pas loin d'épouser la formule d'O'Connell, qu'aucune révolution ne vaut qu'on verse pour elle une goutte de sang humain.

« Nous voici « au haut de la matinée ». C'est l'heure du déjeuner, dit-il, la bataille va se calmer. Ne restez pas dans cet hôtel, venez chez moi, passez votre veston. Je paie votre note. »

*

Accablée par le bruit, une troupe de rats traversa la rivière.

Maisons bleues, air bleu. Résidences de la noblesse ancienne d'Irlande, avec des statues dans des niches. Par les fenêtres que des matelas n'aveuglaient pas, on voyait des plafonds, peints par Angelica Kaufmann. Fureurs des bouches à feu dans les rues dilatées. Des autos blindées revenaient de la bataille à toute allure, faisant gicler l'eau, inondant les volets fermés, les murs éraflés. Puis des ambulances, offertes par des compagnies de cinéma, des sociétés pétrolifères, des fabriques de talons en caoutchouc; des terriers irlandais, roux, couraient derrière. Quelques tramways se risquèrent. Sur les pelouses, des statues équestres de monarques anglais renversées et qui blessaient le ciel de leurs jambes raides comme hors de la voiture de l'équarisseur. Une maison de commerce se barricadait avec ses livres de comptabilité, dans lesquels étaient réservées des meurtrières.

« Dépression sur l'Irlande, à l'instar des bulletins météorologiques », fit O'Patah.

Il ajouta :

« Mettez votre valise sur votre tête, c'est plus prudent. »

La Ford s'arrêta devant une belle maison sur laquelle flottait le drapeau vert, blanc et jaune des insurgés. O'Patah considéra un moment la façade.

« En somme, peu de dégâts dans la matinée. Un coup de 105 au-dessus de la porte d'entrée, mais cette pierre de taille géorgienne est une matière incomparable; l'obus fait un trou et n'abîme guère. Et puis Dublin est une ville sceptique et de bonne humeur : à celles-là il n'arrive jamais rien; voyez Paris. »

O'Patah jeta son chapeau sur un banc et se mit à marcher très vite. Je le suivis de mon mieux. Il ouvrait les portes et criait : « Salle à manger ! » Puis il s'élançait. « Breakfast room », et il était déjà loin. On eût dit quelqu'un pressé de louer sa maison en une heure, sous le coup de quelque arrêté d'expulsion.

« Salon ! Mon portrait par Orpen, sur fond noir; fait il y a cinq ans, alors qu'il ne peignait pas encore les généraux anglais. Chambre à coucher ! Mon portrait par Yeats; près de la fenêtre, mon portrait par Lavery. Il a beau, celui-là, avoir des pattes de lapin et ressembler à un maître d'école en partie fine à Boulogne avec la plus jolie femme du monde, quel talent ! Ici, vue des Iles Inishkea, par Mac Manus. Le fond blanc, là-bas — il marqua la toile d'un trait de crayon — c'est la troisième île, celle où je suis né. »

Sous son poids, les marches demandèrent grâce.

Une porte, suivie d'une autre porte. Un petit escalier conduisait à l'atelier, qui dominait la maison; une sorte de boudoir ridicule; il y avait des perchoirs à perroquets en argent avec plate-forme de marbre, des miniatures, un lit de repos avec des fourrures blanches et noires en losanges, sur lequel étaient étendus, à plat ventre, deux soldats d'une quinzaine d'années qui déroulaient par la fenêtre une bande de mitrailleuse dont les cartouches vides sautaient en arrière, et dans tous les sens, à travers la pièce. Mais O'Patah n'y prêta pas attention.

Il s'assit sur un canapé de velours cerise, orné d'une ganse d'or.

« Mon portrait, par Auguste John. C'est peint avec de la liqueur. J'entends par là, phosphorescent, et pourtant exempt de pesanteur; irrécusable et pourtant doux comme un Angélus. Au moment où cela a été peint, en 1914, j'écrivais *Retour des Songes*. Cela se voit sur mes traits. Vous connaissez *Retour des Songes* ? C'est une de mes meilleures choses. J'y atteins une puissance qu'on chercherait en vain ailleurs. »

Il prit un exemplaire sur parchemin peint, relié richement, l'ouvrit et commença :

Hommes forts, éveillés,
Couchés en travers des événements
Et prêts à recevoir la visite d'un ange...

Les balles sifflaient, quand elles passaient au-dessus du toit, ou entraient dans le mur avec un bruit mat. Un mortier de tranchée tirait dans le jardin.

« Pas sur le tennis ! » cria O'Patah. Il mit ses mains en porte-voix : « Pas-sur-le-ten-nis ! Est-ce vous qui boucherez mes trous ? »

« Et vous ! s'écria-t-il, soudain furieux en se retournant vers les jeunes soldats, et en repoussant du pied sous les meubles les douilles vides. Vous pourriez bien faire votre ménage et ranger vos sales cartouches ! Je ne peux continuer à lire, on ne s'entend plus.

— De qui est-ce ? » demandai-je soudain, en arrêt devant une nature morte exquise, grise, rose et noire, intitulée *Souvenir de Marie* et qui représentait tout ce qu'un jour il restera d'une femme : de longs gants comme des serpents tués, une robe vidée de son corps, un chapeau avec un oiseau mort, et au fond, dans une glace ovale, une cire perdue, un amour perdu. D'une telle mélancolie ce tableau, avec ses rapports de tons si doux, si tendres, qu'il vous laissait inconsolable.

« De Nicholson. Cela s'appelle « Souvenir de « Marie », mais c'est le souvenir d'Ursule (vous l'avez deviné) qu'il faut dire. »

Je restais silencieux.

« Vous vous la rappelez ? » me demanda-t-il en plongeant dans mes yeux ses yeux droits.

Je fis signe que oui. Je le questionnai sans ménagements, en ami.

« Elle n'est plus près de vous ? »

Les traits d'O'Patah, d'habitude si mobiles, se durcirent, ses yeux vacillèrent comme des manomètres, sous la résistance d'une formidable pression intérieure. Il passait dans ses mains une bourrasque bizarre.

« Non. Plus depuis la mort de Crumb !

— Crumb est mort ?

— La Vierge ait son âme ! Je l'avais recueilli, quand il était revenu du front, réformé, en 1916. Il mettait au net mes manuscrits. Il était immédiat, aventureux.

— ... beau, ajoutai-je.

— ... non, pas spécialement beau, continua O'Patah en se renfrognant, surtout si simple, si égal, si peu artificiel. Il désinfectait tout autour de lui. Vous avez pu voir quelle affection paternelle je lui portais. »

Pendant un moment il devint très rouge et eut quelque difficulté à s'exprimer.

« Le chagrin a de longues jambes, comme l'on dit ici. Non... reprit-il, sans crainte de voir reparaître d'anciens fantômes, je veux vous en parler aujourd'hui. Vous savez qu'Ursule tolérait difficilement la présence de Crumb près de moi. En fait, elle le haïssait. Non qu'elle m'aimât. Mais elle me croyait isolé, distrait par lui. Elle m'écrivait anonymement qu'il me volait, qu'il allait me précipiter dans des abîmes; elle le traitait d'odalisque maigre, annonçant que cela finirait par quelque effroyable disgrâce...

« Ce qui arriva. Je ne sais comment elle découvrit que Crumb n'était pas un prêtre, mais un déserteur d'un régiment du Lancashire, depuis 1915. Dès notre retour à Londres, à Noël, elle l'a dénoncé aux autorités anglaises. Malgré mes efforts, Crumb ramassa peu de temps après six ans de travaux forcés. Le matin du jour où on devait le transférer à Aldershot, il fut trouvé pendu dans sa cellule. »

O'Patah tira d'une boîte de laque un paquet enveloppé dans une bouteille de plomb.

« Voilà son cœur, fit-il simplement. La mort nous a liés plus que la vie. On nous dit, nous autres Irlandais, des gens légers, tumultueux, ingouvernables : en fait, massacrés par les passions. »

O'Patah prit sur la table un rouleau de papier qu'il déplia :

« J'ai tracé moi-même le plan du mausolée. Quatre pieds sur quatre. Crumb reposera debout, dans le granit de Galway, au fond du jardin, comme les ancêtres. Il va falloir me faire quelque chose d'éternel, ami français, sans avoir l'air d'y toucher, avec cette grâce de chez vous.

— Et... Ursule ?

— Je l'ai chassée; l'Irlande est le seul pays du monde où il n'y ait pas de serpents. Mon repentir m'en a donné la force. On peut dire qu'elle m'a fait monter toute l'échelle de Jacob, celle-là. Capricieuse comme une roue pour tirages financiers. Je me sens aussi éloigné d'elle que l'Irlande de l'Angleterre depuis l'Acte d'Union. Je ne peux plus penser à elle sans horreur...

— Mais vous y pensez cependant ?

— Oui. Je la dessine dans les marges de mes manuscrits, je m'écris à moi-même des lettres où je me parle d'elle. On a dit qu'elle me droguait à mon insu. Je n'en crois rien. Mais le fait est que je trouvais près d'elle une vitalité, une faculté de renouvellement qui, depuis lors, m'ont quitté. Je suis immolé, infécond, je tournoie dans le vide.

— N'êtes-vous pas aussi célèbre que Dieu ? que Walter Scott ?

— Evidemment, il ne s'agit pas de cela. Rien ne m'enlèvera la haute idée que j'ai de ma valeur. Jamais ma renommée n'a été plus grande. Mais jamais je n'ai été plus malheureux.

— Alors ?

— Je suis infiniment corrompu : je l'aime. »

Par les vitres cassées, sur la pelouse, je voyais des bicyclettes en faisceaux, derrière lesquelles des hommes en habit du dimanche commençaient à creuser des tranchées. Des femmes assises en rond, comme des écosseuses de pois, confectionnaient des grenades à main. Des filles en camisole et coiffées de vieux chapeaux de velours à plumes, la pipe d'argile à la bouche, les apportaient dans leur jupe relevée à des capucins casqués qui les rangeaient dans un kiosque, derrière des sacs de sable.

Malgré la bataille, le printemps, loyalement, faisait tout ce qu'on peut attendre de lui. Des roses grimpantes, à chaque destruction, s'effeuillaient.

« Ecoutez le coucou, fit O'Patah. Un, deux, trois, quatre, dix... quinze... Il y a quelqu'un qui a encore beaucoup à vivre. Vous, sans doute ? »

*

Je revis O'Patah à Venise, trois mois plus tard. Il habitait une chambre meublée dans un quartier populeux, et ne sortait que très rarement pour aller faire un billard ou des assauts de sabre à l'Académie Caramella. Le reste du temps, il le passait couché à écrire l'histoire de sa vie. La lessive de l'étage supérieur, tendue sur les fils télégraphiques, descendait jusqu'à sa fenêtre, en sorte que les pans de chemise et les jambes de pantalon lui cachaient la ville et les gens, que d'ailleurs il ne souhaitait pas voir.

Au fond de son lit, dans un vieux tricot marin en laine bleue, il ressemblait à un dragon gothique, ennuyé d'être écrasé par les pieds d'un évêque. Il fumait sans arrêt et ses doigts étaient comme iodés.

« Sous la chair de ma figure, je sens déjà la tête de mort que je serai », dit-il.

Je m'inquiétais de le voir faire ainsi de la mélancolie. J'allais le visiter tous les jours parce qu'il me faisait peine et aussi parce qu'il disait de belles choses. Mais dès que j'essayais de m'intéresser à lui, il s'en formalisait, crachait un liquide noir, et disparaissait, ainsi que les seiches. Souvent il reprenait sa plume, comme si j'eusse été absent. J'attendais qu'il pensât à haute voix.

« Toute ma vie, j'ai travaillé, disait-il. Après avoir entendu la messe, j'allais à mes poèmes comme à une banque; je regardais passer le monde avec tous ses symboles et je les endossais. Il m'est arrivé de tirer sans provision. J'ai pris mon bien où je l'ai trouvé; dans la bouche des héros, dans les catalogues de fleurs, souvent même dans les écrits des autres, comme tous les primitifs, comme ces artistes des cavernes qui recouvraient de leurs dessins ceux des générations précédentes. Moi, on ne m'a jamais pillé. Est-ce par honnêteté ?

« Depuis trente ans, on peut dire que je règne sur les mots, comme un kalife. J'ai exécuté les uns et confisqué leurs biens. D'autres, d'un trait de plume, je les ai fait riches...

« Je ne suis pas un poète romantique. Et pourtant je n'ai résisté à aucune tentation. Il est vrai qu'en même temps j'étais bien rigoureux pour moi-même. Mais je ne crois de la dignité humaine que ce qu'il faut en croire...

« Aujourd'hui, grâce à moi, les écrivains peuvent tout faire : être sauvages et être puérils...

« Je ne me connais qu'une vertu suprême : l'Orgueil. Il est vrai qu'elle est irréparable. Ce que je méprise le plus après Dieu, ce sont les classes ouvrières et les institutions charitables... »

Il notait tout haut.

« Je redoute une fin douloureuse, c'est la faute de mon instinct vital; comme les femmes, comme tous ceux qui engendrent. »

Je n'osais lui dire ce que je pensais de ces confessions, de ces aphorismes; d'ailleurs il ne me demanda pas mon avis. Il y en a deux gros volumes actuellement sous scellés, à Dublin. Ce n'est certes pas ce que, dans son œuvre, j'aime le mieux. Mais, visiblement, il se soutenait par l'écriture. Sans arrêt, il prenait de ces édits impersonnels, en pensant à la postérité. Il en couvrait ces hautes pages de papier italien « à la Colombe », d'une petite écriture de savant, sans ratures, et les laissait choir tout autour du lit, sur le carreau en mortadelle. Dès qu'il n'alignait plus des mots, de s'assombrir. Sans doute il s'en apercevait :

« Faites, mon Dieu, disait-il, que je ne trouve jamais le repos. »

En somme, quelque chose, au fond de lui, avait assez de vivre. Mais quelque chose y mettait, d'autre part, une telle obstination...

Il ne me parlait jamais de ceux qui, jadis, ou même récemment, l'avaient entouré. Je peux dire qu'il les avait certainement en aversion.

« Impossible de voir de nouvelles figures; d'anciennes encore moins. Vous êtes une exception. Il y a du calme autour de vous. Et puis vous êtes le premier Français rencontré qui ne dise pas aux Irlandais : « Vous les Anglais... »

Souvent il entrait dans un accablement complet, se plaignait d'insomnies. Curieusement il affirmait que ce qui le faisait le plus souffrir c'était de ne plus pouvoir éprouver de souffrance. Il notait avec précision l'effet de cette atonie générale.

« Je ne ressens plus rien comme avant; je m'éloigne de moi-même. Il me semble que je ne touche plus les objets : quelqu'un les touche pour moi. »

Le jour, il trouvait Venise trop affreuse, avec sa vilaine lumière, vulgaire comme celle de l'Algérie, « ces odeurs d'œuf pourri, ces inondations partout »...

Alors pourquoi y vivait-il ?

Le velouté mystérieux des nuits parfois l'apaisait.

« Enfin, disait-il, il n'était plus suivi par cette ombre, qui portait son deuil. »

Nous descendions dans les ruelles, évitant les cafés des Procuraties, la place Saint-Marc, le quartier des hôtels, car il craignait d'être reconnu.

A bonne distance, nous suivaient les deux détectives, l'un appartenant au parti communiste, l'autre au parti fasciste, attachés à cette personnalité considérable, qui vivait de façon si étrange...

Rarement sa conversation prit l'éclat que je lui avais connu. Son pardessus jeté sur l'épaule, les mains dans les poches, le nez froncé, un grand oméga sur le front, O'Patah m'entretenait, sans se lasser, de sa situation de fortune, ce qui était inattendu chez quelqu'un qui avait vécu dans le luxe ou dans la misère et s'en était également moqué. Certains jours il était assailli de scrupules, et, sans cesse, fouillait son passé, pour y retrouver les moindres écarts de conduite, qu'il s'efforçait, avec une minutieuse argumentation, de rendre injustifiables.

Une nuit que nous nous promenions dans le quartier de la Gare :

« Je ne vous ai jamais raconté une aventure qui m'arriva ici-même, il y a peu d'années ? J'habitais alors dans le cloître San Gregorio, près de la Salute. On y louait des chambres assez confortables. Tous les matins je trouvais des fleurs devant ma porte; et jusque dans mes bottines. Un jour, de l'hôtel en face, on me fait des signes, à travers le canal. C'était la plus jolie fille de Vancouver. (Je le sais, j'y ai habité des mois.) Quinze ans à peine. Elle m'aimait. Elle me récita trois cents de mes vers sans reprendre haleine. Elle ne voulait plus rentrer chez ses parents, venait s'asseoir là, sur les marches de l'église, jusqu'à ce que je consente à vivre avec elle.

« Vous dire quelle étrange et douce impression. Je lui montrai mes cheveux, qui, à cette époque, étaient encore blancs, lui tendis mes tempes : elle les baisa, pure et résolue. Je m'éloignai. Elle me suivait de loin, et m'accompagnait d'un regard si triste que je revenais sur mes pas.

« — Je ne vous oublierai jamais », disait-elle.

« J'étais ému. Ce qu'il y a de plus élevé en moi s'élançait vers cette créature. (O'Patah aimait ce mot de créature, qu'il prononçait avec emphase.) Elle venait vers moi sans légèreté ni inquiétude, sur la foi de mon génie. Pas une minute l'idée ne me vint de goûter à ce fruit excellent; aujourd'hui encore je n'ai point de regret. Mais voyez comme la destinée me joua :

« — Aimez quelqu'un de votre âge », lui répétais-je.

« Les femmes, les plus jeunes surtout, ont de si curieuses façons de s'attacher toujours à ce qui a triomphé et jamais à ce qui triomphera.

« Tant et si bien que je réussis à la désarmer. Elle finit par m'obéir. La fougue qu'elle avait mise à m'aimer ne tarda pas à l'étonner elle-même :

« — Vous m'avez fait bien pleurer. »

« Maintenant elle riait. Et elle guérit. Nous fûmes amis. Le vieillard que j'étais et cette fraîche jeune fille, nous allions ensemble à cheval, au bord de la mer, jusqu'à Malamocco. Mes soixante hivers se chauffaient à l'Adriatique. Doux apaisements ! Rosa avait pour moi les attentions qu'on doit à un père...

« Je fis connaissance de ses parents, des marchands de bois de la Colombie britannique. On me considéra bientôt comme de la famille; je pris tous mes repas avec eux à l'hôtel.

« Rosa avait une sœur cadette... (Ecoutez-moi

bien mon ami, et dites-moi si vraiment l'on peut être tenu pour responsable de tels égarements); en deux jours, sans aucune hésitation, cette sœur... Elle avait treize ans... Je la possédai. »

.. ..

De tels souvenirs n'étaient pas rares chez O'Patah. Il les évoquait sans plaisir, peut-être même par pénitence. Il en profitait pour dire son peu d'estime pour des générations où de telles choses sont devenues possibles, pour blâmer toute notre époque.

Bientôt il ne se leva plus, resta couché, le nez au mur, sans avoir plus envie de rien, incapable d'étendre la main vers sa table. Il refusa les aliments, sous prétexte que tout avait un goût de chair humaine. Il renonça à s'enivrer.

Je lui faisais la lecture. Ce qu'il aimait le mieux c'était *De natura rerum* et *Vingt ans après*.

Le soir tombait sur les chemises, sèches à cette heure, gonflées de brise. La rue pavoisait en l'honneur de la propreté. Je voyais s'allonger entre les maisons un ciel étroit, qu'encadraient des fumées arborescentes qui poussaient hors de ces cheminées vénitiennes pareilles à des pots de fleurs. Le soleil frappait une vitre en face et, décontenancé par ce premier choc, venait par ricochet s'abattre sur le lit de fer du poète.

J'aurais bien préféré regarder passer dans la rue les enfileuses de perles, mais O'Patah écoutait, donnant, d'un signe de tête, au fur et à mesure que je lisais, son assentiment.

« — *Monsieur de Châtillon — dit Aramis en*

tirant de ses fontes un second pistolet qu'il avait réservé pour cette occasion — je crois que si votre pistolet est déchargé...

— Vous êtes un homme mort », termina O'Patah.

*

La matinée était très sucrée. La chaleur traversée d'un vent frais qui relevait les robes. Les coqs chantaient. Personne n'objectait rien à rien. Dans les jardins, on entendait les sécateurs émondant les orangers. Au loin, les abois des klaxons : autocars qui partaient passer la journée à la Riviera française. Quelques sons dépareillés de la musique des carabiniers dans le kiosque, et c'était onze heures. Pauvres notes à côté de toutes les mélodies incréées qui demeuraient en l'air, dans l'azur irréfutable. On voyait luire les coupoles de l'église orthodoxe, les ardoises du clocher wesleyien, les tôles ondulées de la chapelle presbytérienne; puis, face à la mer et au soleil, le vieux quartier avec ses hôtels ocre et le quartier neuf avec ses hôtels blancs.

Désolation de cette Riviera italienne. Sur la côte française, en l'absence des deux hivernants de jadis, les fleurs, au moins, faisaient leur propagande, mais ici il ne restait que les souvenirs de luxes russes, de voluptés allemandes qui gisaient fracassés au fond de l'abîme des changes. Spectre, ces écriteaux. Tout à vendre. VILLA DA VENDERE (CON TERRENI). Seules quelques familles de commerçants suisses essayaient de ne pas mourir. Les hôtels déroutés, vaisseaux sans fret, avaient été vendus par étages, dépecés par chambres; et ce casino où l'on pouvait voir les robes pailletées à travers les trous du plâtre municipal.

Je venais d'apprendre à Nice qu'O'Patah avait eu une attaque, près de Portofino Kulm, sur la côte génoise, où il résidait. D'abord je m'en étonnai. Il était si vigoureux. Puis je me rappelai quelques prodromes qui, dès l'Amérique, m'avaient inquiété : des excès de calembours, des achats inconsidérés, des obsessions, des poignées de main exagérées, des faux pas; lors de ma visite à Dublin, ces monologues bizarres, en langage de plus en plus ampoulé et prétentieux. Enfin, l'automne dernier, à Venise, cet affaissement mélancolique...

Les journaux avaient cessé de publier son bulletin de santé, parce que la maladie durait trop.

Je montai jusqu'à la Lodola, villa crayeuse qui crevait les yeux; le sentier descendait à mesure qu'on s'efforçait de le gravir. Une terrasse carrelée projetait sur les murs un reflet rose où s'enfonçaient goulûment les trous noirs des chambres, fraîches mariées derrière leurs moustiquaires. La tapisserie des sièges du salon racontait une chasse. Je m'assis sur l'hallali. Des secondes gouttaient comme de l'eau. Une portière en bambous et perles de verre où fermée, se dessinaient des roses trémières; une d'elles, soudain, s'ouvrit.

On ne pouvait pas ne pas reconnaître O'Patah. Mais il était mué en chèvre, n'étant plus teint et s'étant laissé pousser des poils sous le menton. Et il bêlait, l'hémiplégie lui ayant fendu en deux la bouche et la parole. Ses cheveux et ses souliers étaient blancs. Son intégrité avait diminué et ses frétillements, d'un automatisme évident. Il entra en boutonnant son pantalon. Il se plaignit :

« L'ouragan a passé. Dégâts dans la forêt, et quoi de plus affreux que d'assister à la défaillance des médecins et des médicaments. Je m'affaiblis, mon cher ami... Et ici, c'est triste comme une chaumière de chez nous, quand le porc se meurt. Un peu de champagne, le matin, c'est excellent pour se remonter. »

Il en fit apporter, dans un seau à incendie, en toile, qu'il pendit à l'espagnolette.

Je lui citai de ses vers, car il aimait cela :

Le Chêne dont l'ombre s'étend sur la forêt voyait tomber sur lui une ombre plus haute encor.

Il devint noir.

« Est-ce une allusion à ma santé ? Qui vous a dit cela ? Un peu de rhumatisme, c'est tout. Tension artérielle excellente : 13-18 au Pachon. D'ailleurs je suis ici en touriste, en... (chut !) voyage de noces. Vous devinez qui habite au-dessus, n'est-ce pas ? Ursule, naturellement. Moi, je l'avais oubliée déjà. Mais elle n'a pas pu s'*en* passer. »

La maladie l'avait bien changé. Ses violences, ses triomphes, ses silences n'étaient plus les mêmes. Il me faisait peur avec sa figure, couleur des oreillers de chemin de fer. (Quand on les jette sur le quai, au terminus-arrivée.) Par la fenêtre ouverte entrait un palmier au tronc natté, poilu comme un chimpanzé, auquel pendait, fruit indigène, un thermomètre. L'ombre striée des palmes dessinait de grandes arêtes sur le front d'O'Patah, et sur son complet de cachemire crème, plein de taches.

Il me conduisit dans son cabinet de travail. Toujours des fleurs anonymes, des télégrammes, des lettres d'exaltés reconnaissables à leurs majuscules, des requêtes de jardiniers demandant l'autorisation de donner son nom à des roses.

« On a dû doubler le personnel de la poste depuis mon arrivée. »

J'étais mal à mon aise dans cette longue pièce ornée de peaux de phoques clouées par les pattes, de bustes de héros de l'indépendance irlandaise, druides à favoris, de médailles commémoratives, de palmes d'émail vert sous globe et de photographies de banquets aux mille plastrons, à lui offerts par des colonies d'outre-mer.

Un paysage vaniteux utilisait toute la largeur de la véranda ouverte. Les nuages s'arrêtaient au flanc de la montagne, abandonnant au soleil le rivage et la mer. A mesure qu'elle s'avançait vers cette chaleur, la falaise s'affaissait comme une glace à une devanture, malgré ses cyprès, ses cactus désarticulés, les lacets de la route qui essayaient de la retenir.

O'Patah désignait les coteaux :

« Je ne peux plus guère, à cause de mon asthme (était-ce bien cela ?) aller là-haut dire bonjour à ces charmantes petites filles dont la natte se divise en deux et retombe sur chaque épaule — c'est gentil une petite fille —, qui cultivent les œillets dans ces masures blanches, les seules que les tremblements de terre aient laissées debout. A part ça, je vous assure que je me porte admirablement.

Je suis un enfant; mais qu'on ne s'y fie pas. Chez nous, vous voyez des gens très doux qui regrettent le temps où les fleurs et les fées se parlaient, mais qui touchent aussi leurs cent livres pour l'assassinat d'un policeman. Il ne faut pas qu'on me regarde comme un retraité de la marine; j'étonnerai encore le monde. »

Je considérai son pupitre où il écrivait debout, le sol jonché de plumes d'oie et de feuilles de papier d'alfa. Il s'assit en se frottant la fesse, trouée de piqûres de caféine.

« En pleine production. *La queste d'Oranmore.* Cycle poétique en six chants; et vérifiez : pas une rature. Est-ce là le privilège d'une pensée sénile ? Voyez mes manuscrits. J'écris trois versions différentes à la fois, suivant le public auquel je m'adresse : une version pour Dublin, l'autre pour New York, la troisième pour Paris. Plus, une grosse royalty pour le film. Je suis comme... vous savez... cet oiseau fabuleux qui renaît de ses cendres...

— Le phénix...

— C'est cela. Mon autographe a monté de deux dollars le jour où le *Chicago Express* a, prématurément, annoncé ma mort. »

Toute sa vie, il avait suivi le marché londonien des autographes, où chaque grand homme a sa cote, inquiet lorsqu'elle baissait, heureux lorsqu'elle était à la hausse.

« Vous ai-je dit que, dernièrement, une dame dans le besoin m'écrivit pour me demander la permission de publier des lettres d'amour qu'elle avait jadis reçues de moi ? Pouvais-je refuser ? Cinquante éditions. »

Il semblait l'imitation de lui-même. Cette exaltation n'était plus le vigoureux impérialisme physique qui jadis s'annexait tout à son passage, c'était une sorte de monstrueux gonflement intérieur, à base de faiblesse, qui angoissait. A Venise, si déprimé qu'il fût, il me faisait moins peur. (Je ne sus que bien plus tard que ces à-coups, ces désordres organiques n'étaient que la marche parfaitement régulière d'un mal impitoyable.)

« Je vais vous lire une petite chose pas très mauvaise que j'ai écrite ce matin. Comme c'est venu. Je ne relis jamais. »

Il me pressait contre le mur, un manuscrit à la main :

Orient, ancienne chose, nieras-tu l'orgueil
originel de ceux dont la force tremble, l'outil
oscille dans la main oisive,
obéissant seulement pour les mauvais ouvrages,
opulence optée, ouragan obscurci,
ombrageuses obsèques...

« Vous remarquerez les *o*. Pendant six chants, tous les vers commencent et finissent pas des mots en *o*. Un vrai tour de force pas *o*...rdinaire. »

Et s'adressant à lui-même :

« O'Patah ! quand reviendront les chevaux dételés des soirs de triomphe, les orphéons de Tivoli, et tous ces fermiers qui m'entouraient le premier jour où je parlai à South Mall ? Feux de joie dans les tonneaux... »

Dès lors, je compris qu'il était très mal.

Il m'entraîna au jardin, ne me fit grâce ni de la roseraie ni de la citerne modèle à double siphon, ni (ce dont il était très fier) de son nom écrit, avec des cailloux rouges, en caractères monstrueux, sur la pelouse inclinée. Au garage, je vis sa Napier; j'appris qu'Ursule avait son landaulet; que quand ils se déplaçaient, ils étaient suivis d'une remorque pour les malles-armoire. Je connus ses spéculations sur le mark finlandais et quelles désillusions lui avait réservées le dinar.

« Vous êtes ici pour longtemps ? me demanda O'Patah. Quarante-huit heures ? Alors vous ne verrez pas Ursule. Elle est en France, chez ses parents. Je suis heureux de ce petit congé. Elle était devenue inhabitable. Elle traînait des heures autour de moi, à se regarder dans les glaces... J'aime encore mieux une femme qui réfléchit qu'une femme qui se réfléchit. Vous savez comment elle m'est revenue ? J'ignorais tout d'elle depuis son départ, après la mort de Crumb. Un jour vint que je n'y tins plus. Je mis chaque matin une annonce dans la colonne des agonies du *Times*, entre les offres de chats bleus et les demandes d'emploi de secrétaires confidentiels. Rien. Enfin, j'ai une idée : je mets : *Ursule, unique légataire.* Trois jours après je lisais dans le *Times* : *Ultimatum accepté.*

« Je la connais bien, allez. Avec ses airs forains, c'est une bourgeoise. Très matérielle (vous vous rappelez son écriture ? Ces gros jambages, ces points pesants, ces barres du t, en massue). Un cœur en terre réfractaire. Des promesses comme pour la repousse des cheveux. Comme elle a de l'orgueil, du désordre et un caractère de chien, on la croit indépendante... »

Soudain il s'arrêta et me considéra avec défiance. L'étude critique qu'il faisait d'Ursule s'atténua. Elle possédait une solide instruction, le goût des livres, repassait son linge; sa santé était délicate; elle tenait son journal d'une main quotidienne, à l'encre violette, et quelques jours par mois, à l'encre rouge. Imbattable au jeu de patience (et il en fallait, certes, avec un partner tel que lui). Un savoir-faire avec les infirmes, un goût de la musique instrumentale, ne pensant qu'à faire pénitence avec les amis, à se crucifier pour les fournisseurs...

Il l'évoquait si fort qu'elle entra.

Ursule ! Qu'elle était belle ! Un grand chapeau soufre et ce teint, là-dessous ! J'étais si ému que je revois tout ce qui n'est pas elle en ce moment. Elle riait avec cette bouche... On en voit de pareilles, parfois, à la sortie des ateliers. Comme Ursule était grande ! Si entièrement à elle-même. Les autres femmes ont toujours l'air d'être un morceau de quelqu'un.

Je notai chez O'Patah une notable diminution de la mémoire, car il parut avoir oublié qu'il avait essayé de me cacher la présence d'Ursule et ne s'en expliqua pas. J'étais crispé, glacé, prêt à dire à cette beauté les paroles blessantes qui vous viennent aux lèvres quand on est heureux.

Elle vit toute cette malveillance.

« Comme vous sentez bon », me dit-elle.

Je n'oublierai jamais cette minute; nous étions

tous trois dans ce bureau obscur où erraient nos torts, nos désirs, des projets littéraires, un pathétique soleil vertical qui vernissait les feuilles des palmiers, les premières atteintes de la faim. Et surtout, chez O'Patah, une dissolution si rapide de la personnalité que nous en étions enivrés. La paralysie générale entrait par la véranda comme un papillon bleu. Cette désagrégation toute voisine nous stimulait, Ursule et moi. Nous nous sentions capables d'exiger enfin beaucoup l'un de l'autre; que l'heure s'approchât pour O'Patah de rembourser les frais qu'il avait faits pour sa belle vie ne nous engageait nullement aux économies.

« Ne prenez pas cet air d'écorché vif. Je vous retrouverai ce soir au casino, après avoir couché le « domine ». Cela m'enchante de vous revoir. »

Elle mentait, avec cette bouche qui, décidément, lui servait à tout.

.. ..

Je dormis toute la journée, assommé par ce champagne matinal et par un vent qui obligeait la pointe des cyprès à toucher la terre, tordait les nerfs, faisait grincer le sable sous les dents, séchait les muqcuses. Inerte, je demeurai sur mon lit à compter les mouches et les traces de sang laissées au plafond par les moustiques écrasés, en pensant à O'Patah. C'était, par son âge, ses passions, par son intransigeance, un homme d'hier. Par sa vie d'aventures, son manque de goût, sa façon de tout comprendre, son incapacité de rien prévoir, ses négligences, — riant de l'espace et sans crainte du temps — un homme d'aujourd'hui. Une vigueur voulue. Des muscles fermes et une âme déchirée. Deux fois — comme poète et comme Irlandais — voué au ridicule, au malheur et au sublime. Tout de même, un homme « d'une classe internationale », comme disent les sportifs. Et infiniment prêt à entrer dans l'histoire, qu'on le lui demandât ou non.

*

Au casino, la table se trouvait, gazon malade, au centre d'une sorte de garage en ciment armé. Très loin, un bar américain, pris dans les glaces, pavoisait; cascades de joueurs sans disponibilités. Un valet, en culotte de panne rouge, reclouait son talon avec une bouteille vide. Quand tombait un jeton, l'on entendait une petite sonnette et, une lanterne sourde à la main, il plongeait sous la table; mais on l'avait devancé.

Comme Ursule m'avait promis de venir, je ne l'attendais pas. Combien m'avaient incendié ses premières promesses ! Mais depuis, j'avais appris à marcher nu-pieds sur ce brasier.

Elle entra. Je l'entraînai sur le balcon, déchirant sa robe, ce qui parut l'enchanter.

Le jour tomba, mort.

Une lampe, puis toute la baie, prit feu. Devant le Kursaal, de jeunes seigneurs passifs attendaient dans les Fiats à louer. La mer et le ciel s'effondrèrent à gauche, dans un trou. Les palmiers, vieux ananas, regardaient couler la promenade. Misère et mandoline. Les concierges des grands hôtels sentant la situation internationale leur échapper, se réunissaient; les pans de leur redingote battaient la mer. Enfin disparurent ces sales hirondelles qui font la saison comme des domestiques.

« Dites-moi, Ursule, allez-vous une *bonne fois* être à moi ? Vous rendre, que je puisse être tranquille ? Ou bien allez-vous recommencer cette fuite éperdue, comme le jour où je vous avais capturée enfin ?

— *Une bonne fois !* Ce besoin de la possession paisible que vous avez tous ! Une femme n'est vraiment à vous que quand elle vous fait la cuisine. Prenez donc ce qu'on vous donne.

— Comme à New York...

— New York vaut par ses richesses naturelles et par son excellente situation géographique...

— Surtout quand il y a la guerre en Europe.

— Je n'ai jamais eu d'engoûment pour la guerre, dit-elle.

— Ni pour rien de ce qui paraissait durer...

— N'usez pas tout jusqu'à la corde, comme l'on fait en France. Vous et O'Patah, je vous aimerais bien si... C'est vraiment affreux qu'en amour la volonté ne serve de rien ! Mais c'est ainsi.

— Ursule, souvenez-vous... lorsque vous m'écriviez : « Prenez toutes mes mauvaises pensées, elles « sont pour vous. »

— Pauvre enfant, toujours dupe des jupes. »

Je lui répondis grossièrement; je lui dis que depuis la guerre la situation est renversée et que ce sont les hommes qui deviennent une denrée précieuse pour laquelle les femmes doivent se battre. Bien qu'elle eût plus d'un tour dans son sac à main, elle n'était qu'une amante surclassée.

Sentant combien je bafouillais, je l'injuriai. Je l'appelai « cœur tendre ».

Son œil me regardait, énorme, oblique, comme ceux qu'on voit peints sur les voiles adriatiques.

« Allez, dit-elle. Vous ne m'effrayez pas. J'adore les querelles. Je me relevais, enfant, la nuit, pour entendre se battre mon père et ma mère. Il m'est arrivé de suivre dans la rue un homme qui criait à une femme des choses inimaginables. Je vous bén... »

Je résolus de l'interrompre gaiement, et, en copain :

« Est-il vrai que vous ayez fait arrêter Crumb ? On peut dire que vous avez le sens du vaudeville, vous. Et le vieux, le Domine, comme vous dites ? Il file un mauvais coton ? Vous allez l'enterrer avec de belles musiques ? Il y aura des discours en plein soleil et de la poussière sur les pieds. Et les annonces dans le *Times ?* « Ultimatum accepté. » Farceuse ! »

A défaut de son cœur, sa poitrine était d'une extrême sensibilité.

Une odeur d'iodoforme tenait encore aux murs, bien que, depuis des mois, le casino eût cessé d'être habité par des malades italianissimes. La partie languissait. Sur les canapés, le long des murs où étaient affichés les coups, des joueurs attendaient une inspiration, ou éprouvaient le besoin d'expliquer longuement leur déveine, comme des auteurs dans leurs préfaces. Soudain, au-dessus des têtes et de la chute mouillée des cartes, une voix de fer :

« Banco ! »

Il y avait huit mille lires en banque.

O'Patah entrait, vêtu d'un smoking et d'une chemise de nuit. Il s'approcha, salua le tapis vert en s'écriant : « Salut, drapeau de la verte Erin ! », prit son jeu et abattit deux, sans avoir demandé de cartes.

« Payer ? Mais bien entendu », fit-il.

Et de sa poche, il sortit une poignée de petits cailloux.

Je revois cette chambre bleue et rose, et la lune sur le miroir à main. Un palmier s'agitait au dehors avec un bruit de satin ciré. Vernis à ongles. Des manuscrits et des actions au porteur liés par des faveurs de soutien-gorge. Tout entrait dans l'éternité par le cabinet de toilette. On eût dit la même nuit depuis des années. Je marchais sur la pointe des pieds et j'écrasais des perles en verre des franges de la robe d'Ursule. Rien n'avait bougé depuis que nous avions ramené O'Patah chez lui, tel qu'on l'avait ramassé dans la salle de jeu. Dans ce lit de femme, au linge traversé d'ajours, orné de rubans roses, il était tombé; son visage, comme celui des embaumés, n'avait gardé que ses plans essentiels, ses fortes mâchoires (il mangeait les côtelettes avec leurs os, les melons avec leur cosse, les poissons avec leurs arêtes), marqué d'une extraordinaire empreinte de force et de méchanceté; d'irréflexion et d'amour de soi.

Sur le crucifix, le Christ levait les bras au ciel.

« Demain, dit Ursule, je vais encore avoir une mine de papier mâché. »

Dublin-Viroflay, 1922.

LA NUIT DE CHARLOTTENBURG

Le vernis cria.

« Egon v. Strachwitz, c'est moi. Je ne vous attendais que demain matin. Cordialement le bienvenu. Je vais vous préparer un lit; vous en préparer un moi-même, car je n'ai pas de domestique. Ma nourrice se couche à sept heures. A moins que vous n'acceptiez de reposer sur le sofa du petit salon. »

Petit salon vert et violet. Suspension en émaux translucides. Des peaux de panthères. A mi-hauteur, des rayons de livres, revêtus de rideaux en soie zinzolin.

Jaquette, une perle baroque, des oreilles d'orang, le crâne au papier émeri, et ma valise à la main; il restait au milieu du tapis comme un chef de réception.

« Demain, vous aurez votre chambre sur Charlottenburgstrasse, décente, confortable même, avec un pourboire à la femme de ménage; aujourd'hui, il faut des pourboires partout, à la police, aux femmes du monde, aux rois, au pape. (D'ailleurs, je peux vous expliquer, si cela vous intéresse, toute l'histoire de l'Eglise par ses besoins d'argent.) Le

Saint-Siège a toujours été « fauché comme les blés », suivant l'image homérique de vos faubouriens. Ce serait honteux s'il s'agissait de la bonne vieille monnaie grasse de jadis, qui procurait du plaisir et de la considération. Mais ce qu'il y a de bien, c'est que ce n'est plus réellement une valeur; c'est le signe d'un signe, qui finit par ne plus rien signifier. Trêve de fontaines lumineuses à la charmante retombée, plus de traitements au radium, plus de caviar, de tziganes, de quatuors sur l'eau, plus d'orchestres, plus d'asperges en février. Autrefois, n'est-ce pas, nous passions à la caisse et un monde naissait ? Aujourd'hui, la transmutation ne se fait plus. J'ai appris ce proverbe sur les confins de l'Azerbaïdjan : « Dis-moi, « marchand de roses, pourquoi vends-tu tes fleurs ? « — Pour avoir de l'argent. — Mais avec de l'ar- « gent que peux-tu donc acheter de plus pré- « cieux que des roses ? » (Avouez que vous avez un peu peur d'entendre un Boche parler de roses ?) »

Il clignait des yeux très vite, comme pour transmettre avec ses paupières un message en code Morse.

« Tout ceci pour vous expliquer qu'il faut décrire autrement ce cercle vicieux. Aujourd'hui : « Dis-moi, banquier, pourquoi vends-tu de l'ar- « gent ? — Pour avoir plus d'argent. — Mais « avec de l'argent, que peux-tu donc acheter de « moins avili que l'argent, puisque aux belles « choses on n'assigne plus qu'une valeur mar- « chande ? On continue de se tuer pour de l'ar- « gent, par habitude, sans comprendre qu'on n'a

« plus dans les doigts qu'un peu de cendre. C'est
« diabolique, mais c'est ainsi. »

Il posa ma valise à terre et s'assit dessus.

« Je suis pauvre, malgré ces 20 000 marks de loyer. Si je n'avais pas été pauvre, je n'aurais pas mis cette annonce dans le *Lokal Anzeiger*. J'aurais pris un lecteur de français. Je vous aurais payé. Je me serais payé un Français. Mais voilà : une étique mensualité de la Baronne mère; quelques bénéfices d'amateur; c'est tout. Pas un sou de ce gouvernement de bandits, depuis la démobilisation. Le 11 novembre m'a trouvé à Van, à l'Etat-Major, chef du service des renseignements du secteur d'Arménie. Rendu à la vie civile, je n'avais plus 10 000 marks en banque. Je suis passé chez Ratibor : le voyage d'Angleterre payé, il m'est resté un tout petit capital. Ratibor — il ne s'agit pas du prince, qui d'ailleurs est le grand-oncle de ma mère — mais d'une agence matrimoniale juive où l'on vend son titre. (Quand les Juifs prennent le nom de la principauté où ils ont été, jadis, autorisés à résider, il peut y avoir parfois, pour un étranger, confusion.) Grâce à ce Ratibor (Ezra), les gens de qualité épousent une *dégrafée* sur le retour, convolent à Londres, reviennent divorcer en Allemagne, et laissent porter le titre à la dame, pour les villes d'eaux. Aujourd'hui, l'opération a cessé d'être fructueuse. On donne cent cinquante marks d'un titre de comte, et on refuse les barons... Plusieurs jours, je me suis promené dans les rues avec un écriteau : HOMME A LOUER OU A VENDRE, mais je n'ai pas trouvé acquéreur. Porter un grand nom dans la misère ce n'est pas drôle, surtout pour nous, Allemands qui croyions au progrès. La noblesse impériale, c'était le bien-être, ainsi que chez vous, sous la Monarchie de Juillet. Et comme il nous manquera toujours cette grâce dans l'infamie qui fait les Russes inimitables...

« Vous tombez de sommeil. Je vous ennuie. D'ailleurs, je ne vous ai pas fait venir pour vous parler de moi... Vous avez les mains brûlantes... Des mains trop blanches. Vos doigts sont spatulés, c'est mauvais signe... Bonsoir. »

Je me déshabillai. J'éteignis. Il faisait chaud dans ce salon, une chaleur artificielle, sans agrément, au fond de laquelle je fus forcé de m'endormir vite. A travers les rideaux de taffetas violet, un arc voltaïque de la même étoffe clignait, au ras du balcon.

.. ..

J'ouvris les yeux. Deux heures venaient de sonner. Ce furent ces deux coups tout vibrants que je trouvai d'abord à la surface de ma conscience. Je perçus autour de moi de légers bruits, isolés d'abord, puis qui s'unirent sourdement. J'allumai; le salon m'apparut, dans toute son oisiveté ordonnée. Dès que j'eus fait une obscurité nouvelle, ce fut un glissement continu comme de doigts passés le long d'une vitre, une agitation circulaire. Il y avait quelqu'un tout autour de moi. Mon cœur tombait dans des abîmes et il ne fut plus question de dormir. Je rallumai, décidé à prendre un livre et à attendre le jour. M'étant levé, j'allai à la bibliothèque, dont j'écartai les rideaux. Au lieu de rayons, je trouvai des vitrines.

Les glaces étaient doublées d'un treillage métallique. Je cherchai à distinguer quels bibelots sous verre, semblables à des rubans ou à des cordes... cela bougea... »

Des serpents.

Réveillés par la lumière ils dardaient sur moi des yeux sans paupière, collant à la vitre une langue fourchue. Ces vipères, en s'agitant, m'avaient réveillé. Des couleuvres à collier blanc formaient des anneaux. D'autres reptiles d'un gris sourd, à ponctuations foncées, s'enroulaient en paquets inextricables, comme une pâte à berlingots.

Une installation d'eau chaude encerclait le salon, et traversait les vitrines. Je tirai d'autres rideaux : sous des couvertures de laine, enlacés et conjugaux, des pythons reposaient immobiles, enveloppés de larges stries jaunes.

Je n'avais des reptiles aucune horreur. Je haussai les épaules et me recouchai.

A sept heures du matin, mon hôte entra. Il était en robe turque et avait chaussé des besicles considérables, bordées de caoutchouc, comme des pneumatiques. Au fond de l'eau des verres nageait un regard obligeant et lunaire. Strachwitz tenait dans sa main des œufs et sous le bras une boîte de carton.

« J'espère que je ne vous ai pas réveillé, en rentrant à l'aube ? Comme je ne vous fais pas payer votre pension d'avance, il a bien fallu que j'aille jouer, pour assurer notre matérielle, n'est-ce pas ? Je suis harassé. A minuit, figurez-vous que le cercle se trouvait à Moabit; mais à peine avais-je la main qu'il fallut décamper, car la brigade des jeux arrivait par le toit; ce n'est qu'à deux heures que la partie reprit près du Jardin zoologique, dans un appartement démeublé pour lequel le propriétaire toucha en une nuit le loyer d'une année. Le banquier commençait à être en difficultés — et nous de ponter ferme — lorsqu'il fallut de nouveau lever le camp. Ce fut ainsi jusqu'à cinq fois. On n'a de paix que dans les sous-sols des ambassades, mais c'est naturellement très cher... Et vous, avez-vous bien dormi, jeune monsieur ? Dormi de ce

doux sommeil qui dénoue l'écheveau compliqué des soucis.

comme dit Shakespeare, dans ces immortels sonnets qui sont l'*Internationale* du prolétariat amer des pédérastes.

— Je ne vois pas d'inconvénients à ce que vous fassiez l'élevage des reptiles, monsieur. Mais est-ce pour me provoquer ou m'éprouver que vous m'avez, sans m'avertir, installé pour la nuit dans ce salon ? Cela m'a plutôt amusé ! Mes nerfs ne me quittent jamais sur le coup. Comme les femmes, je ne redoute que ce que j'attends. »

Il s'excusa. Il avait été pris au dépourvu. Mais ma chambre allait être prête. Il se voyait obligé de troubler mon sommeil pour nourrir ses pensionnaires. Ceux-ci, tachés de noir, dont il avait oublié le nom, mais qui viennent de Madagascar, sucent des œufs le matin. Le naja hindou, à cou dilaté, prend son bol de lait, sans crème.

« Voilà, dit-il, en ouvrant sa boîte percée de trous et pleine de crapauds, le repas de cet animal turbulent, à anneaux bien tranchés, l'aspic des Pyramides, celui de Cléopâtre, monsieur. »

Je désignai les pythons à écailles en tuiles de toit.

« Ils sont en période de ponte. Très sobres. Un lapin toutes les six semaines. Mais pour eux, avant tout, une proie vivante... ou alors il faut agiter le cadavre au bout d'un bâton, pour les tromper. La mort leur ôte l'appétit.

— Ce n'est pas plus bête qu'une collection de timbres. »

Il était déçu de mon indifférence, mais évita de le marquer.

« Mes séries sont fort incomplètes. Il y a mille six cents espèces de serpents. Je convoite entre autres le nasique vert pré, séducteur de grenouilles, mais avec le change... »

Il ouvrit une vitrine.

« Voulez-vous voir de près un de ces êtres de mystère ? toucher ces frères pathétiques et maudits? »

Cette suggestion était accompagnée d'un regard anxieux devant lequel je m'efforçai de demeurer transparent. J'étais évidemment pour lui un champ d'expériences. Ce pays est plein d'amateurs décidés à vivre leur vie, et la vôtre. Il faut se résigner à cela quand on vit en Allemagne. Les gens vous piquent immédiatement sur un bouchon, vous retournent en tous sens et prennent des notes. Les Allemands ont la hantise de l'information et des besoins d'analyse. Mais une information si faussée par l'excès du détail, des conclusions si déconcertantes, malgré la sûreté des méthodes, tant de nervosité et, à mesure qu'ils s'enfoncent vers la lumière, tant d'aveuglement qu'ils arrivent en bien mauvais état devant les vérités premières. Au moins celui-ci procédait-il indirectement. Et d'ailleurs je m'étais engagé à des causeries quotidiennes en français, en échange de son hospitalité. Peu importait lesquelles. Il n'était pas l'universitaire à lunettes qui fait de vous une ascension pénible, en souliers ferrés, avec son savoir sur le dos, mais un Allemand d'un genre moins commun, anémié, éclairé, dévoyé, et un gentilhomme. Alors que la guerre avait produit sur moi (qui pourtant me vois le 2 août 1914, au fort de Rosny, lisant les *Affinités électives*) des effets abrutissants, nationaux et toniques, elle l'avait mué en un dilettante, assoupli par sa multiformité et ses contacts divers. L'Orient surtout semblait avoir marqué de sa séduction, affiné et à jamais débilité la rude nature de mon hôte qui me rappelait certains Croisés partis frustes et sanguinaires, revenus artistes, tolérants et amoraux.

Je me dois vraiment d'insister sur les façons d'Egon v. Strachwitz qui étaient pleines de grâce et me surprirent jusqu'à ce que j'eusse appris que sa mère était autrichienne. Non seulement cette correction militaire faite d'attitudes construites d'après des perpendiculaires coupées de parallèles, mais une aisance audacieuse, indiquée à peine, sans les excès qui viennent alourdir la politesse aux époques où la tradition s'en perd, où elle est maniée sans assurance.

Strachwitz s'avança vers la cheminée et arrosa d'une goutte d'eau des plantes grasses, d'un vert vénéneux, qui sortaient de grès Sung et d'où s'élançaient des poils, droits comme ceux du dormeur réveillé par la peur.

Je décidai de lui être agréable en m'étonnant de son goût pour ces énigmes naturelles. J'ajoutai que j'avais remarqué la veille encore, dans la boutique de fleuriste contiguë à l'hôtel Adlon, une de ces plantes monstrueuses, sorte de tumeur végétale et qu'il y avait une queue de plus de cent personnes pour la voir.

« Les Allemands ont pour l'étrange et le féroce un goût que l'on retrouve dans leur littérature, leurs mœurs et leur religion. Il ne faut pas oublier que notre fond est païen. Ici, il a fallu massacrer pour convertir. L'on brûlait encore abondamment des sorcières au temps de vos Encyclopédistes. Et aujourd'hui que, par hygiène morale, on ouvre l'arrière-boutique de la conscience, vous nous voyez, monsieur, plus qu'aucun autre peuple exhiber des sous-produits qui confondent l'imagination. »

Comme on m'apportait le chocolat, il se mit à beurrer lui-même mes tartines.

« Quatre années de névrose collective y ont aidé, reprit-il. Et la conclusion du spectacle, surtout. Depuis la défaite (c'est le mot qu'il faut employer), je me suis révélé un artiste en raisonnements séditieux. Il y en a plus qu'on ne croit en Prusse. Les Bavarois sont déformés par l'italianisme, mais chez nous le cher sang slave prédomine. »

Du doigt, il me montra des toiles expressionnistes accrochées au mur, dont quelques-unes étaient peintes avec de la cendre de cigare, du café ou des excréments.

« Voyez, Kaukinski, Chagall, Kokoschka, tous nos maîtres actuels sont d'origine slave. Le contact avec les Russes depuis 1917 est capital, pour qui veut comprendre l'Allemagne. Les Slaves, ce ne sont pas seulement ces beaux corps que Frédéric II faisait enlever pour leur grande taille. Ce sont ces hommes aux yeux de comète qui nous regardent à travers les forêts baltiques, et nous bouleversent, parce qu'à notre insu ils font appel à des douceurs ou à des fureurs sacrées dont nous ne sommes pas maîtres. Nous avons des chimistes qui savent trouver l'ivresse jusque dans leurs pommes de terre. Depuis plus de deux mille ans, l'ambre sarmate nous attire comme des papiers légers... Petersbourg était pour les Allemands pleine de ressources; Moscou, c'est l'enchantement. A mesure que la Russie s'éloigne, nous sommes prêts à la suivre vers l'Asie, même s'il nous faut connaître les grandes hémorragies de l'émigration, ou vivre comme des loups, manger des enfants sans péché, ou avoir des relations avec des bêtes.

« Cela vous étonne d'entendre parler ainsi un ex-capitaine au régiment de la Garde. Dès 1915, l'ineptie de notre administration, ses coûteuses erreurs, l'impunité des chefs, la bêtise du soldat ont peut-être fait des miracles. Personnellement je trouve que notre campagne actuelle d'innocentisme est une honte. A la déclaration j'ai été heureux de commettre un crime, pour affirmer ma volonté de puissance — et ceci est mon sang germanique. Depuis l'armistice je suis heureux d'expier — et ceci est l'influence slave. Je ne regrette que mes jeunes années de garnison à Potsdam, les manœuvres sous les lilas, comme aux couvertures du *Jugend,* et les défilés devant notre Colonelle rouge à chignon blanc — que Dieu ait son âme impériale ! »

Il s'assit sur mon lit et se mit à s'épiler les bras.

« Vous êtes communiste ?

— Naturellement, le métier militaire c'est du communisme intégral, on l'a dit cent fois. Me voici comme hors cadres, temporairement, mais avant peu de temps, c'est-à-dire dès que l'Europe aura croulé, faute d'organisation économique, je reprendrai du service, car l'antimilitarisme est aujourd'hui aussi périmé que le socialisme humanitaire. Ce qu'il nous faut faire en attendant, c'est dissocier, par des moyens artistiques et immoraux, un monde qui se hâte vers sa fin. Facilitons-lui sa perte, à cette saleté d'astre éteint. Je vous expliquerai d'ailleurs comment il faut s'y prendre. Cela pourra vous être utile. Les Français doivent travailler avec nous. Il y a dans toute leur histoire des éléments précieux d'anarchie, qui, sans avoir la valeur spéculative du nihilisme slave ni la force explosive des mystères sémites, peuvent néanmoins être un apport peu négligeable. Considérez cela à vos moments perdus et reparlez-m'en. »

L'eau que j'avais fais chauffer pour ma barbe se mit à bouillir. Je me levai. Strachwitz s'étendit sur mon lit. Dans la glace, j'observais sa face chevaline, maigre, avec de grandes joues osseuses, à la peau tendue. La bouche mince, aux dents nickelées, était la base du menton triangulaire. J'étais surpris de la vie hâtive qui l'animait.

« Quel âge avez-vous ? demandai-je.

— Trente-trois ans. L'âge de Christ. Savez-vous que Christ était un espion romain ? Il vécut deux ans déguisé en femme. Il a été condamné pour escroquerie. »

Je voulus me moquer de sa violence.

« Tous les écrivains français, dis-je avec humeur en affilant mon rasoir, et les plus réactionnaires, ont commencé par des postulats audacieux pour finir dans quelle légalité ! Nous aimons, en France, les idées hardies pour elles-mêmes, sans vouloir y conformer les faits; ce sont des bibelots. Un être fort ne craint jamais de vivre en contradiction avec ses principes. »

Strachwitz haussa les épaules.

« Français à la grosse tête, vous êtes pareils à des fleurs qui n'ont qu'une graine », fit-il.

C'était un très vieil endroit de plaisir, ce qu'avaient dû être Tortoni ou le Grand Seize dans leurs derniers beaux jours. Postérieure à eux, invoquant leur influence, *die Bonbonniere* restait seule aujourd'hui, pour en témoigner. J'admirais les stalactites des lustres, les courtines de soie, les glands, les passementeries sans jeunesse, les écussons brodés aux armes impériales. Au fond de grottes en damas cerise, à grands motifs fruités, refroidissaient les glaces biseautées, les boissons, les diadèmes. Des dames à plumes m'entouraient, très décolletées, avec des ventouses dans le dos, comme de vieux baisers, sollicitant de moi une *galanterie*. Des domestiques vénérables décantaient de chauds bordeaux, encore avec des gestes rituels, mais bousculés, envahis par un public de mecs et de prostituées; on voyait dans leurs yeux la fin d'un monde.

J'aperçus Egon v. Strachwitz accoudé au marbre. Solitaire, il buvait négligemment par-dessus son épaule, avec une paille.

« Ce bar, ou, ainsi que l'on dit maintenant, ce *Kabarett,* est sacrilège, fit-il, mais comme il n'y a pas assez de clients capables de s'offrir un dîner de mille huit cents marks, on l'a établi pour préserver de la tombe le restaurant, et pour permettre à un public de râleux, dont nous sommes, de regarder dîner. Ici, c'est ma jeunesse. Toutes ces taches sur la peluche, des taches de grands-ducs. Le Turc encore assis sur les Balkans, des boyards d'opérette fiers de leurs quatre cents sources dans les Carpathes et de qui l'on mettait trois jours à traverser les terres en voiture, des hospodars à bottes molles et glands d'or. J'ai vu Cuno Hohenloe, qui a été tué à la Marne, courir sur le rebord du balkon une flûte de champagne à la main. Moi-même, un soir, je précipitai un socialdémocrate dans les nénuphars de zinc de la fontaine lumineuse. Voyez ici ces viveurs en veston : des dentistes américains, des pianistes, des contrebandiers aériens, des avorteurs, et des fils de Judas. Ma parole, il n'y a plus que dans les Cours qu'on rencontre une humanité pareille. Quand l'orchestre joue *Amapa,* on éclaire en bleu. En avant les havanes, en avant le caviar rouge ! Si l'un de ceux-ci s'était jadis risqué (en admettant qu'on l'eût laissé monter)... Voyez ce tapis gras comme un humus chargé de matières organiques, et ces femmes qui rient avec un bruit de carafes qui se vident, et leurs yeux, lourdes eaux naphteuses, et le timbre humide de leurs bouches. Au travers des violons, l'orchestre remue des graines de pavot... Dehors, entendez la basse envie des hauts quartiers, entendez ces continents qui tremblent et que retient à peine le réseau des longitudes et des latitudes... »

Il s'arrêta et se mit à rire.

« Une partie fine avec un réchaud... voilà pour Egon. Les drogues pour faire dormir sont une spécialité pharmaceutique allemande. Mais je compte éblouir mes compagnons de la fosse commune avec un suaire d'une coupe impeccable. »

Ivre de ces contrefaçons romantiques, il tendit son verre vers les pampres illuminés du plafond pour recueillir une vendange électrique, puis le vida.

« Moi, je vais rentrer. Je lis sur votre figure que vous voulez rester pour assister à la *Kokaïntanz*. Vous piaffez. Vous risquez un œil derrière les buissons d'écrevisses. Vous vous dites :

Ces nymphes, je les veux perpétuer...

« A votre âge j'avais ce goût pour les apothéoses du corps. Jusqu'au moment où je m'aperçus que j'avais plus de sensualité que de tempérament et plus de dégoût que de sensualité. En amour, je suis pour le baroque, le style jésuite. Malgré mon père, j'ai été élevé à Feldkirch, le grand collège jésuite du Tyrol, et ça n'a pas été perdu. Le monde est resté pour moi une boule d'azur — Jésus-Marie-Joseph — avec, en sautoir, un serpent. D'où mes goûts de collectionneur, peut-être ? Où que je pousse mes incursions, je reviendrai toujours comme un émigrant italien, comme un boomerang, à mon collège. Vous voyez, au fond, un très bon sujet, et non un méphistophélès à barbe aiguë, comme vous semblez le croire. La preuve c'est que je vous emmène hors de ce mauvais lieu. »

Il prit mon bras.

Nous marchâmes quelque temps en silence. Comme nous entrions au jardin, j'obéis à une obligation intérieure. Je pris à témoin des personnages en chemise de nuit, échelonnés tous les vingt mètres, qui tenaient à deux mains des épées de marbre, et que je sus plus tard être les Hohenzollern de la Siegesallee.

« Laissez-moi vous dire, commençai-je, combien je regrette de voir quelqu'un comme vous, Strachwitz, de forte origine, fin, séduisant, s'abandonner aux folies au lieu d'en être le maître, faire abus de son charme, de sa santé, de son intelligence et de sa dignité, satisfait de naïves révoltes et de turbulences primaires... »

Strachwitz alluma un cigare hambourgeois qui répandit une odeur affreuse.

« Ma femme arrive demain, dit-il. Ne vous avais-je pas dit que j'étais remarié ? »

Il ajouta :

« Peut-être coucherez-vous bientôt avec la baronne ? »

Je fis semblant de ne pas entendre.

« Avez-vous des enfants ? demandai-je.

— Les intellectuels n'ont pas d'enfants, monsieur; les riches non plus. Ce sont les peuples à taudis qui engendrent. Si encore on ne faisait qu'un enfant. Mais avez-vous envie de voir dans cent ans quatre cents Strachwitz ? Dans cent cinquante ans, douze mille ? Dans trois cents ans, quarante-cinq mille ? Tous voleurs, esclaves, ouvriers ? Ou, ce qui est pis, juges, architectes, ambassadeurs ? Il faut bannir ces accès d'impérialisme individuel. Croyez-vous que j'appartienne à l'Allemagne prolifique ? C'est tout juste si je ne me suis pas supprimé moi-même, ce n'est pas pour me perpétuer, comme un ivrogne. Il ne sera pas dit que je n'aurai pas modestement contribué à anéantir le monde. »

Une nuit philosophique se reflétait dans le canal de la Kœnigin Augusta Strasse, où dormaient des chalands venus de l'Elbe, remplis de briques roses, entre les reflets noyés des tilleuls. Puis tournoyèrent les lumières de notre chemin de fer électrique, couchées sur le gazon, parmi les arbres de Judée.

*

Le lendemain soir, lorsque je rentrai, après dîner, je trouvai Egon en conversation avec une jeune femme emmaillotée dans un châle de Manille, étendue sur le sofa. Il me présenta et s'excusa que la baronne ne fût pas vêtue : elle arrivait de voyage et venait de prendre un bain.

Je ne sais pourquoi elle tenait une ombrelle où des pivoines étaient peintes à la main.

Elle avait un éclat lunaire, le front bas, un nez largement ouvert et soudé aux sourcils. Ses cheveux d'un violet couleur de bruyère. Elle dit quelques riens, mais en les scandant comme des mots à l'emporte-pièce. Egon saisit une lampe et fit le tour de sa femme. J'eus l'impression qu'il prenait hors d'un panier un lapin blanc, et qu'il me l'exposait, comestible, l'œil rond et les pattes dans le vide, immobile jusqu'au moment où il le rendit à son gîte. Pour compléter l'illusion, il lui gratta le sommet de la tête avec des noms affectueux et animaux. Elle l'embrassa. Malgré ces transports le couple m'apparut désuni et tourmenté; Egon soucieux surtout de l'effet qu'il produisait sur moi. La baronne semblait lointaine, trempée dans une lymphe, parfois seulement extatique sans raison. Elle fut pleine de bonne grâce, conventionnelle, me disant qu'elle aimait Paris et qu'elle y avait connu Egon.

« Nach Paris ! fit celui-ci, très aimablement, à mon intention. Connaissez-vous *Julot-tango ?* »

Il mit une casquette, releva son col et chanta :

D'puis que l'grand Julot
a dansé l'tango
comme à Buenos Aires,
y'en a plus q'pour lui
au Bal des poteaux
d'la rue d'la Glacière...

« Mettez à travers cela l'angle aigu d'un zinc

de ton mort, de beaux complets gris souris, des apéritifs à l'encre, tendus par un patron électoral et boutonneux; un kaki colonial, le gaz, des appareils à sous, les porte-monnaie qui font des varices sous les bas; une seule odeur de cuisine et de cabinets; il me semble qu'on me fait un peu mal et que je vis plus vite : c'est Paris. »

Je regardais la baronne. Sa bouche était excessive, mais sans expression. Sa ressemblance avec un lapin angora continua de me frapper. Elle avait autour du cou qui perdait sa forme, comme une collerette de graisse.

La sueur perlait à son front.

Je remarquai combien la soirée était lourde et l'air épais.

« Quelle chaleur ! dit-elle, on voudrait pouvoir s'en prendre à quelqu'un.

— Je suis là pour ça, fit Egon.

— Au fait, ce sont vos serpents qui vous obligent à surchauffer l'appartement. Vous tenez beaucoup plus à eux qu'à moi, Léviathan vous-même, serpent à divers plis et replis. Je ne peux entrer dans ce boudoir sans suffoquer et Egon le sait.

— Madame est tout à fait hystérique, dit-il en riant. Ce n'est pas une jeune femme à mettre entre toutes les mains. Sa cérébralité est sommaire, son système nerveux anormalement développé et sans relation avec le reste de son organisme. Une volonté abolie. Ayant été très malade sexuellement et sujette à des rechutes. Réglée à douze ans, hérédité chargée, de mauvaises lectures, des habitudes troubles et, il est bon que vous le sachiez, de curieuses paralysies locales et intermittentes... »

Agacé, je voulus le corriger, et l'interrompant : « Pourquoi me dites-vous cela à moi ?

— Notre vie conjugale...

— Chez nous la vie conjugale est un double secret.

— En France, vous dévorez vos hontes en silence : les frasques des sœurs, la faillite du père, les fibromes de la grand-mère. C'est très mauvais pour la santé. Il faut parler. Aussi vais-je toujours me confesser, bien qu'athée. Si la crise est grave et que le prêtre ne suffise pas, il y a des établissements dernier cri, comme l'Ecole de Sagesse de Dresde, où l'on peut exposer son cas à des philosophes rétribués pour vous entendre... Je vous dis des choses qui vous étonnent, mais c'est pour mon bien-être, afin de dormir en paix : « Tout « ce qui n'a pas été dit ni fait le jour erre la « nuit dans notre poitrine. »

— Qu'entendez-vous par là ?

— Gœthe a voulu dire qu'il faut se libérer par la parole des craintes larvées ou des désirs non formulés. Nous asservissons les dieux et nous désarmons les fantômes en les nommant. Je pourrais vous déclarer que je suis heureux et que madame est bien portante. Mais nous en souffririons ensuite tous deux, tous trois peut-être. Aussi devez-vous savoir que madame est considérée comme perdue et qu'elle va mourir bientôt. »

Strachwitz m'exaspérait. Je fus sur le point de quitter la pièce. Mais il me devança. Portant rapidement les mains à ses yeux, il se leva et gagna la porte en sanglotant.

*

A son tour la baronne fondit en larmes, le visage caché dans ses bras repliés. Les grandes fleurs de son châle montaient le long de son dos et s'agitaient comme dans le vent.

« C'est une honte, madame; votre mari n'a pas le droit de parler ainsi. Que resterait-il d'une société, et nous-mêmes que deviendrions-nous, s'il fallait ainsi débrider nos plaies en public et procéder à de telles guérisons ? »

Elle était plus jolie vraiment que je n'avais cru.

Je m'exaltais et me trouvais peu à peu soumis aux influences de ces êtres désordonnés et nerveux. Je pensais à ces singuliers ménages à trois du XVIIIe siècle genevois, unis par les larmes, l'herborisation et l'amour du prochain.

Je ne me rends pas très bien compte comment je m'agenouillai près de la baronne. Ses pleurs coulaient sur ma joue, si abondants, si sincères, qu'ils devinrent bientôt miens.

« Egon ne m'a jamais désirée ni aimée, dit-elle quand elle fut calmée. Lorsque je l'ai connu à Paris, voilà deux ans, il voulait se tuer, car il est de constitution précieuse et poétique. Je l'en dissuadai et il ne me le pardonna pas. Je le rencontrai, un soir d'octobre chaud comme juillet; vous connaissez cet apaisement d'après l'équinoxe où l'été une seconde fois porte des fruits ? Cela se passait dans les jardins du Trocadéro. Il était très beau, tête nue, et distribuait des imprimés de couleur rédigés en français, sur lesquels on lisait :

CITOYENS DE PARIS !

Regardez la Tour Eiffel à 8 heures du soir.
A la gloire du néant,
je me jetterai de la Tour Eiffel.
En désespoir de l'heure,
je me jetterai de la Tour Eiffel.

Signé : EGON V. STRACHWITZ.

Il m'aborda et me pria de remettre une lettre et sa bague à un de ses amis anglais qui habitait à l'hôtel Jacob. Cette lettre ne m'a jamais quittée.

La baronne ouvrit un de ces secrétaires de faux laque vert vénitien qui sont fabriqués à Rome, en contre-bas du Tibre, sur les quais, et lut ceci :

Paris, october 10th 1919.

My dear Jack,

This is the last letter I shall ever write. At 8 p. m. I jump from the Eiffel Tower.

I have had a bloody career. Please keep all I have told you about Mrs W. as a strict secret. I tried to crush my madness but I could not. Never let fate sway you nor a woman. I am a bloody heart-broken beggar. I am longing to be dead. I tried enlist in the Légion étrangère but as I am ill, they would not have me before I was well. My Wassermann reaction is positive. Since then, I have stolen three bicycles and a postal order and gone in for sodomy. I am feeling very unbalanced. I shall jump like hell, nothing shall stop me. I hope you will avenge my death on Christianity and Society that have caused it. I am in a hell of an agony and cannot sleep. I would like to murder someone before I die. I wish my remains to be buried in the Pantheon besides these of Rousseau le douanier. I wish I had something to leave you. Take my signet ring.

Best love from your late friend.

EGON.

La baronne ne lisait plus la lettre. Elle la récitait par cœur, avec piété.

« Avez-vous jamais rien entendu de plus émouvant ? »

Je lui répondis que je ne savais pas l'anglais.

Patiemment elle relut, en traduisant :

Paris, ce 10 octobre 1919.

Mon cher Jack,

Ceci est la dernière lettre que j'écrirai jamais. A 8 heures ce soir je me jetterai du haut de la tour Eiffel. J'ai eu une sacrée existence. Veuillez garder tout à fait secret ce que je vous ai dit au sujet de madame W. Je me suis efforcé de vaincre ma folie, mais en vain. Ne vous laissez jamais bousculer par la destinée ou par les femmes. Je suis un pauvre bougre au cœur brisé. Je désire ardemment mourir. J'ai essayé de m'engager dans la Légion étrangère, mais comme je suis malade, on n'a pas voulu de moi avant que j'aie recouvré la santé. Ma réaction de Wassermann est positive. Depuis lors, j'ai volé trois bicyclettes et un chèque postal. J'ai pratiqué la sodomie. Je me sens très déséquilibré. Je sauterai dans le vide avec fureur, rien ne m'arrêtera. J'espère que vous vengerez ma mort sur la Chrétienté et la Société, qui en sont cause. Je traverse une crise terrible et ne puis dormir. Je voudrais tuer quelqu'un avant de mourir. Je désire que mes restes soient déposés au Panthéon, près de ceux du douanier Rousseau. Je voudrais posséder quelque chose pour vous le laisser. Prenez ma bague chevalière.

Tendrement, votre feu ami.

EGON.

« Alors ?

— Il ne monta pas à la Tour; il m'épousa.

« Comme moi, Egon aimait la paresse aux longs ongles, les aveux sans paroles sur les mols *kanapés,* dans des atmosphères d'ardeur où, en quelques instants, les magnolias, ces fleurs de peau, deviennent noirs comme des pendus.

« Tout de suite notre amour fut au paroxysme. En peu de semaines, nous parcourûmes cette courbe qui va du moment où l'on se découvre à celui où l'on se perd. Mais nous connaissions tous deux assez la vie pour savoir que jamais plus nous ne rencontrerions, si bien s'accordant, tant de vertus et de vices (mais à la vertu doit-on le vice opposer ?). Aussi nous résolûmes de ne pas vivre séparément, mais ensemble, ces cruels moments de désaffection, d'épuisement et de satiété qui sont le lot des amants énervés ou par trop magnifiques. Nous nous prêtâmes assistance. Loyalement, nous apportâmes à la communauté tous les stimulants, les réconforts ou les plaisirs que chacun de notre côté, dès l'aube, nous allions quérir. Voulez-vous les connaître ?

— Chacun possède l'humble liste transparente, dis-je. Tout vaut mieux que trop d'habileté dans ces vieilles histoires. Continuez.

— Je ne peux plus... »

De nouveau la baronne laissa couler ses larmes.

Elle demeura longtemps silencieuse, le corps ployé. Je lui dis de sécher ses pleurs. Elle m'obéit avec docilité.

Elle se mit sur son séant, léthargique, décoiffée, les yeux pochés, en proie à quelque somnambulisme. Elle ne savait pas que son châle était tombé jusqu'à ses bas et répétait dans le vide :

« Excusez-moi de n'avoir pas mis des gants... J'aurais dû mettre des gants pour vous recevoir... »

Puis, me saisissant à bras-le-corps :

« Comme c'est bon que vous soyez venu enfin ! » dit-elle.

Elle avait des bas violets comme le boudoir. Ses deux mules en filigrane d'argent tombèrent dans le vide de la nuit.

Je restai étendu longtemps près d'elle, dans la maison silencieuse. Endormie, elle tenait ma main serrée, de tous ses nerfs, comme si elle eût redouté de rester immergée au fond du sommeil. Avec étonnement je considérais cette étrangère sans comprendre comment je me trouvais couché près d'elle. Une aube soufrée se glissa entre les rideaux. Je restais immobile, les yeux ouverts.

« Pourquoi, pensais-je, la nuit n'est-elle plus jamais pour moi ce qu'elle était jadis, une détente ? Les miennes manquent de profondeurs et d'une ombre reposante. J'habite en elles comme au creux d'une caverne, d'une noire erreur, seul, ou avec mes sœurs extravagantes... »

Tout d'un coup le parquet craqua. Je me retournai. Strachwitz était derrière moi, dans sa robe de chambre turque, un monocle à l'œil.

Je fus debout.

« Monsieur, commençai-je, je suis à vos ordres... »

J'étais sans armes.

« Je vous remercie, dit-il. Si la baronne ne se sent pas bien, le mieux est de lui faire un peu de thé, très léger. »

Il sortit du tiroir une petite boîte d'argent et de ses doigts maigres de donateur se mit en devoir de faire chauffer de l'eau, électriquement.

Berlin-Talloires, 1921.

LA NUIT DE BABYLONE

Je reviendrai à la Chambre dans un moment; j'en avertis mes voisins. Mais je veux profiter de l'exposé de Poudré pour faire un saut jusqu'au ministère et expédier la signature. Voici la place du Palais-Bourbon et sa statue démonétisée. Qui révélera jamais la volupté aux effigies politiques ?

Il n'y a plus grand monde sur la rive gauche. Cette soudure entre la fin du travail et le commencement des plaisirs, qui rendait Paris inimitable, ne se fait plus. Dès sept heures, avec une humidité silencieuse, tombe la housse d'un tacite couvre-feu. Une buvette méridionale, à l'odeur d'escargot, infecte la bouche de la rue de Bourgogne. Puis, c'est Sainte-Clotilde, l'ombre des arbres jetée sur des murs de couvent et, jusqu'à la rue de Babylone, des volets fermés contre la nuit.

J'enjambe le perron Louis XV, aux doux degrés, de mon ministère. Dans le vestibule, la presse de province qui attend, comme à une distribution de soupe poulaire, et que j'évite en entrant chez moi par le lavabo.

Je consigne ma porte.

L'huissier vide les eaux. Sa chaîne pend au-dessus

du seau de toilette. Il voit ma hâte, mais la dit inutile car il y aura suspension de séance et séance de nuit. Comment sait-il ? Il sait toujours. Intacte, il a gardé sa vilaine figure de paysan. Sans doute parce que tous les soirs il regagne Chaville et ses salades. Il fait à son crayon des boutures, pèle l'*Officiel*, cueille les communiqués, arrose au désinfectant les fleurs de la Savonnerie, et, au coin de l'âtre en accordéon, raconte le passé.

Dans mon bureau, un feu à huit bûches est dressé le long du mur, panoplie de flammes. J'entends sauter les placages en bois de rose de ma table, où Necker travailla (n° 0042, Garde Meuble national). C'est une table bien servie, et tous ces papiers ouvrent l'appétit : un mètre cube par jour, sans compter les notes de service, les quotidiens striés de bleu, les radios, les jaunes télégrammes d'Etat, les cartes de visite, sales ou parfumées, les messages; toutes les deux heures, ma dactylo remet de l'ordre. Voici le jeu des sonnettes; on dirait le tableau de distribution électrique d'un grand magasin. Avant d'écraser du pouce les trois premières, je me donne sept minutes pour penser à Denyse...

Revenons aux premières heures de cette année. On avait réveillonné chez moi. Tout le monde parti, j'allai, en caleçon, dans la salle à manger, avant de me mettre au lit. L'odeur de cigare froid entrait, pour un an, dans les rideaux; foie gras par terre; serpentins dépeignés; lampions calcinés; au plafond, le gui; dix-huit bouteilles sous la table, avec leurs fils de fer dressés. On sonne. Je n'ouvre pas. De nouveau, on sonne.

« Bonjour, vous. C'est moi, Denyse. J'arrive un peu tard ? »

Elle heurte le seau du glacier dans l'obscurité. Ses amis lui avaient donné rendez-vous chez moi; l'avaient attendue jusqu'à trois heures du matin. Mais elle est toujours en retard. Elle s'émerveille. Elle rit, parce que tout est piquant un premier janvier, mais elle a peur.

« Allumez le lustre, dit-elle. Je ne suis pas de ces femmes d'aujourd'hui qui posent les lampes par terre. »

Elle doit être depuis peu descendue d'altitudes, car sa peau est ocrée par le soleil et la neige, et, comme un loup de velours blanc, le dessin des lunettes. Des cheveux clairs. Sa robe rend un son merveilleux, mais ne la déguise pas. Denyse ne vaut pas moins qu'elle. Le front dégagé laisse de la place pour la promenade des idées.

« Je n'avais jamais encore été chez un ministre. Vous êtes jeune.

— Détestez-vous cela, comme tout le monde en France ? »

Quand répondre l'ennuie, elle prend un air mystérieux. Elle fait le tour de la pièce, hésitant à chaque meuble, à chaque objet, jeune chat qui prend possession défiant d'une nouvelle demeure.

« Laissez-moi vous offrir à boire; il y a de si curieux paysages au fond des verres... »

Mais j'arrive trop tard, elle en est au : « Je ne veux que de l'aspirine. »

Elle accepte que je lui tienne les tempes. Elle me prête même l'appui de ses mains rouges et froides. Puis tout de même elle s'alimente.

Ensemble, nous franchissons ces instants décolorés, neutres à force d'avoir été négligés, qui précèdent le jour; instants où la terre, avec tous ses biens endormis, apartiendrait à qui oserait un coup de main. Des soupeurs rentrent en ligne brisée comme les chauves-souris. Les charcutiers restent ouverts. Le tapage nocturne est autorisé...

« Vous reviendrez ? Ne dites pas oui parce qu'il est quatre heures et que nous avons bu. Même quand on vous aura dit que je cours après toutes les femmes ? Alors soyons amis. »

Je l'amène sous le gui. Elle hésite :

« C'est comme dans le mariage, dit-elle : d'abord sous le gui, ensuite sur le houx. »

En ce moment, Poudré doit conclure. Il demande l'ordre du jour pur et simple. Tout au plus les socialistes insisteront-ils pour le renvoi à la commisson. Un vote à main levée, sans doute.

Je mange beaucoup de viande. J'aime à être appelé au téléphone pendant les repas; mes poches sont toujours pleines de recommandations, sur des feuilles volantes. Quatre-vingt-dix-huit kilos. Un mètre quatre-vingt sept. De ces hommes que les femmes trompent en disant : « S'il le savait, il me tuerait. » Moins bête que je n'en ai l'air. Moins intelligent que je ne le crois. Quand je vois passer un enterrement avec mes initiales sur les draperies, je souris. Je suis poussé en avant par des besoins matériels invincibles. En chemise, je suis gros comme les autres en pelisse. Je possède un coupe-file. Je suis lié avec le préfet de la Seine. Je crois à l'auto-suggestion. J'ai une ficelle à vingt nœuds, et le soir, dans mon lit, je répète vingt fois : « *Tous les jours, à tous les points de vue, je vais de mieux en mieux.* » Je prête ma voiture à mes amis. Je circule librement sur tous les réseaux. Je sais *Bérénice* par cœur. Je ne vis pas en pyjama. Je souscris au Larousse ilustré par fascicules. Je mets les communistes dans ma poche.

Je connais Denyse depuis quatre mois. La seconde fois que je la vis, c'était au Gala de la Tuberculose. Je présidais. Denyse. C'est quelque chose de tout à fait nouveau pour moi. Jusque-là, des femmes qui par hardiesse, spéculation ou sensibilité, venaient se mettre dans une immédiate servitude. Comme ça cède vite une femme d'aujourd'hui ! Quel agrément ! Quelle tristesse ! Pour une ombrelle, un brin de muguet, elles passaient par les chemins les plus difficiles. Il en résultait des accidents; de changeants délires; des démêlés; du gaspillage. Chaque jour apportait son tribut, chaque nuit son motif décoratif. Vous connaissez cette chasse charnelle qui, pendant dix ans, vous sonne dans la tête ? Toutes ces femmes de Paris avec leurs cuisses nues, si douces, sous leur jupe mince. Depuis la guerre je prenais plaisir à imaginer des présences d'une autre sorte, plus proches de moi par des qualités égales aux miennes. (Je venais de m'élever tellement au-dessus de moi-même.) La nuit, dans ma cagna, me visitaient des présages, en lamé d'argent. Souvent elles étaient sans attraits physiques tant je les désirais, avant tout dignes, fermes, sans feintes ni tortueuses tendresses... Cela se réalisa le soir que j'ai dit. Denyse se présenta comme j'avais rêvé (sans parler de cette emblématique beauté qui vint mettre le comble à ses dons).

Ce qui explique pourquoi je m'élançai vers elle.

J'étais rentré dans mon Midi après l'armistice. Rien n'avait bougé que les propriétés des viticulteurs en relations d'affaires avec Sète, bâties en hâte dans la confusion des richesses ou les stocks américains tombés en syncope au milieu des vignes. A peine eus-je le loisir de toucher ma prime de démobilisation, de promener mon chien sur les chemins de ronde de cette cité fortifiée où, sous le soleil latin, brûlent les vieilles vertus huguenotes qui sont les miennes et celles des miens : de retrouver mes rêves de jeune homme, mon ambition, tout ce trousseau d'idées avec lequel j'étais entré dans la vie, de m'effrayer désormais de cette hâte des jours à vouloir s'échapper sans que nous les ayons marqués de notre image, de désirer ardemment brusquer ma destinée et m'aguerrir enfin à une paix active.

Précipité aux élections sur la liste d'un parti nouveau, j'entrai au Parlement et dans les Commissions, pour rebondir (à cause de ma canne caoutchoutée) à la tête d'une fraction de groupe, jusqu'à un sous-secrétariat. Pas le temps de connaître Paris. Juste celui de le mépriser, d'entrevoir qu'il n'y a plus rien, ni une cave inédite, ni un salon fermé, ni un litre de lait non écrémé, ni un plaisir subtil à goûter, ni un appartement à louer, ni un Parisien à souhaiter de connaître. J'avais assisté à quelques soirées. Des réunions entre quatre murs de papier d'or; sur des matelas, recouverts de gros coussins sourds, rutilants et ridicules, les hommes et les femmes, incapables de plus supporter la contrainte des chaises, s'étendaient côte à côte, un verre entre les pieds; des jeunes filles montraient leurs aisselles où la sueur des danses collait des brillants; elles ne cessaient de rire ou de s'entretenir dans un langage chiffré, incompréhensible, que pour s'écrier, parmi le crachement des siphons : « Ce qu'on s'emm... » Je me souviens de mon indifférence à ces dangers urbains dont les gens et les livres avaient entretenu ma jeunesse stoïque. Aux premiers temps de la législature, dans ma chambre meublée de la rue de l'Université, je riais de cette comédie tragique jouée ici, comme dans les maisons où, pour vénérer un défunt, on continue de mettre son couvert. Les gens perpétuaient des gestes, des calembours, des faux cols, des anecdotes qu'ils jugeaient inimitables, mais, en fait, il n'y avait plus rien; tout aussi réduit en poudre que si les Boches avaient fait sauter la ville.

Souvent je m'éveillais à cinq heures du matin, une habitude de la guerre. Les oiseaux du Dépôt des marbres, aux cris réglés comme l'horloge, m'avertissaient allègrement de mon métier de rapporteur; je travaillais dans mon lit en fumant ma pipe. J'étais résolu à avoir rapidement raison d'une capitale frivole, d'un monde envieux, d'une administration anarchique.

Les sept minutes que je m'étais données pour penser à Denyse, je les ai, c'est la règle, consacrées à penser à moi. Par habitude, je sonne d'abord William, le chef de mon secrétariat particulier, un vieux camarade du collège protestant de Nîmes.

Mais il ne répond pas; il est sans doute resté à la Chambre.

Alors je sonne mon chef de cabinet. C'est une souris, qui court le long de la boiserie et n'arrive à moi qu'en terrain couvert, gagnant le paravent, puis le classeur et la table. Silencieux, il demeure, son petit œil convulsé cependant d'une intense vie administrative. Il ne m'appelle pas « le Vieux », comme William, ne me souffle pas son caporal dans la figure, ne s'assied pas sur un bras de fauteuil. Il m'a été fourni, avec sa peau rose, ses gestes pleins de ratures, par la direction du personnel. Souple passerelle jetée sur l'abîme qui sépare les politiciens des fonctionnaires, il attend de moi que je comprenne sa situation difficile. Il est tout finesse, patience, courtoisie. Précis, honnête, inexorable, chaque affaire lui est occasion de prendre sur moi de l'ascendant; j'entends, des affaires de cabinet, c'est-à-dire traitées sans documents, à mots couverts, par allusions téléphoniques ou par télépathie, rixes secrètes entre administrations; visiteurs écartés, d'autres imposés avec des soins infinis; contrôle secret, intuitif, transparent des correspondances; observance d'un protocole tacite, aux subtilités extrême-orientales; utilisation mystérieuse ou décorative de la part du pouvoir qui m'est confiée.

Je lève les yeux. Sans bruit autre que le soupir étouffé de la porte capitonnée, tous mes directeurs sont entrés derrière mon chef de cabinet, à la file, suivant leur grade. Ils sont en cercle, autour de moi, me convoitant. Unis par les liens les plus extrêmes, haine ou amour, resserrés par des années de vie comune, ils jouissent de cette trêve et la visite qu'ils me font est pour eux une détente. Au milieu de leurs voix blanches s'élève, seule, ma grosse voix de tribune. Ils m'apportent la signature dans des portefeuilles en maroquin. Satisfaits d'avoir donné à leur pensée de la journée une forme si appétissante; dactylographie aérée par des marges pures, enrichie de la *réclame*, ornée par la *courtoisie*, couronnée au sommet de *l'appel* en vedette. C'est une expédition en apparence courante du travail, mais sous laquelle se dissimulent une interprétation partiale, des solutions passionnées que leur cœur a dictées. Si je réagis, si je crois voir des pièges, ils s'effacent, gagnant du temps, ne livrant pas combat, louvoyant le long des couloirs ou des précédents, jusqu'au prochain Cabinet. Si, au contraire, je mouille avec bonne humeur ma plume, ils me glissent en souriant la lettre à signer, me pressent d'une suivante, et, escomptant ma distraction ou ma fatigue, dirigent magnétiquement ma main sur le papier. Ensuite ils s'éloignent à reculons, heureux d'apporter à leur Ministère, ce monstre aux mille portes qu'ils aiment et qui les aime, une nourriture délicate que l'animal n'accepte que de leurs mains ridées.

On entend un déclic; derrière moi une petite porte de nickel s'abat sur le plateau d'acajou, découvrant les mots : *Chambre des Députés*. C'est Cornet, mon collègue de la Présidence du Conseil. Il m'annonce que la séance est levée et ne reprendra qu'à neuf heures. On dîne chez Larue.

L'équinoxe. Un vent écervelé s'élève, ouvrant l'appétit, éveillant l'humour et le désir de donner des interviews; chacun tire sur l'oxygène qu'il apporte. L'heure d'été rajeunit artificiellement la journée. C'est une ruse de vieille coquette. Voici l'instant où, dans Paris, tant de femmes se déshabillent sans aimer et tant d'hommes aiment sans se déshabiller. La place de la Concorde apparaît : Babylone, avec l'Euphrate, les jardins, les obélisques, les palais de Nabuchodonosor. Le monde est une vallée de pleurs, mais, somme toute, bien irriguée.

Aujourd'hui j'ai un costume à être heureux. Ce complet a cinq ans. Quand je suis dedans, tout me réussit. Il est naturel qu'on ne se sépare pas, bien que défraîchis, des vêtements dans lesquels on a rencontré la chance...

Rue Royale. Ma voiture croise une autre voiture, qui ralentit et s'étrangle à changer de vitesse. Par distraction, je regarde. A l'intérieur, il y a trois personnes. Au milieu, un jeune homme beau comme un acteur; sur sa poitrine, il tient deux femmes qui s'embrassent...

Si Dupré lance ce soir dans les jambes du patron l'interpellation dont il le menaçait tout à l'heure, de son banc, il n'y a qu'à demander d'en reporter la discussion à plus tard. Ne pas prendre date. Le prier de se mettre d'accord, hors séance, avec le ministre de l'Intérieur, puis traîner l'affaire en longueur jusqu'à ce qu'elle ne soit plus d'actualité.

... L'une enfermait dans ses mains la figure de son amie, se penchait sur elle, faisant couler un long plaisir entre ses lèvres, comme l'on donne une potion à un jeune chien, en lui tenant le museau. Cela durait peut-être ainsi depuis l'Opéra ?

J'aurais pu prendre ceci comme un des mille spectacles déraisonnables qu'offre Paris; m'en distraire — les hommes font généralement ainsi, dire en riant : *no man's land* — et le passer à mon voisin; le manier moi-même; l'endurer; l'oublier. Mais en souffrir ? En être traversé comme d'une balle ?

Cette journée me revient en mémoire où Denyse, goûtant chez moi, découvrit dans un tiroir de mon secrétaire des photographies de femmes, anciennes amies...

« Il y en a beaucoup de très jolies », dit-elle.

Par romantisme, je lui offris de les déchirer.

« Surtout n'en faites rien, ou bien donnez-les-moi. J'aurai plaisir à contempler des femmes si jolies. »

Chez Larue, Cornet m'attendait, disant : « J'ai une faim bleue », et se faisant les ongles avec sa fourchette, son fond de pantalon obscur sur la peluche crevette. Il n'eut pas à m'apprendre les mauvaises nouvelles, car sous le palmier, dès l'entrée, les journalistes parlementaires, pendant qu'une équipe de garçons disposait les hors-d'œuvre sur les nappes à plis cassés, se vendaient des informations pessimistes. Zermatt trahit; on lui a promis le gouvernement de l'Algérie. La gauche démocratique et l'Entente libérale lâchent; trois membres du Cabinet préparent un replâtrage.

« C'est du 250, 280 au maximum, si l'on vote

ce soir. Le patron ne restera pas avec ça. D'ailleurs on sait maintenant par qui l'article de *L'Aube* était inspiré... »

De la main Cornet fait signe que cela vient de très haut, d'au-dessus des ventilateurs et des cabinets particuliers.

Entre deux stores crème, on devinait la Madeleine et ses marchés mouillés, passés à chaque bras comme des paniers fleuris. Trois directeurs de théâtre, près de nous, dînaient. Ils lançaient des prix d'engagement, flagellés de poivre rouge, des taches d'urée au front. Notre amie Ravissant Grigri, de la grande peuplade des femmes qui ont mal au ventre, admirée par des jeunes gens au nez sans cartilage et aux ongles mous, les suivait, dissimulant sous un sourire relevé aux coins comme une pagode, des organes douloureux et un cœur ennuyé. Insensibles, des touristes américains mangeaient du maïs à la grappe.

On entendait glisser sur les roses du tapis les maîtres d'hôtel, entre les mâchoires au travail; sous une pression que les dentistes évaluent à cent cinquante kilos craquaient les corps frêles des volailles. Digestif et testiculaire, bien à son aise dans ses bottines, Cornet regardait dans la glace s'il tirait le meilleur parti de ses cheveux. D'une voix du ventre étouffée par le bol alimentaire, il parlait des « impondérables » et rendait des anecdotes qui toutes avaient pour but de rassurer sur l'avenir de l'ordre social, moyennant quelques concessions d'après dîner.

Il ramassait de vieux mots parisiens qui traînent depuis trente ans sur l'asphalte, les habillait d'un accent paysan, disant qu'il les avait entendus dans des fermes.

Il surveillait l'usure des ministres :

« Dubech est dans un asile d'aliénés; Courtois grimpe aux arbres. As-tu vu Bovet « faucher » avec sa jambe gauche ? »

Le premier prix de violon s'avance vers nous, tenant en équilibre sur son instrument, une valse flexible qu'il déverse soudain dans nos compotes. Je n'y tiens plus. Il y a encore une demi-heure avant la reprise de la séance. Le chasseur revient me dire que « j'ai Wagram ». Je sens que le Ministère est sauvé si je peux voir Denyse.

Malgré les explications de Cornet, je n'arrive pas à comprendre pourquoi la Chambre n'a pas voulu de l'ordre du jour de Poudré. C'était un morceau très clairement rédigé, sur lequel nous étions unanimement tombés d'accord ce matin, en Conseil. De toutes les façons, il ne faudrait pas poser la question de confiance brusquement, comme on dit que le patron a l'intention de le faire en rentrant de séance...

Ce que j'aime le mieux au monde, c'est Denyse. Elle m'a réconcilié avec Paris. Une ville qui produit de tels cœurs mérite qu'on s'attendrisse. Je n'oublierai jamais ce soir-là, dans l'escalier. Je la reconduisais chez elle. La minuterie ne fonctionnait pas; elle me prit la main dans l'obscurité et, contre mon lorgnon : « Vous verrez, vous aurez une petite femme bien droite. »

Dans sa chambre. Je l'ai trouvée couchée. Le

boulevard Bineau est silencieux comme une ville après une chute de neige. Le couvre-pied piqué, bombé à peine au-dessus d'elle. Le lit lui va mieux que la plus belle robe. Les draps envoient à son visage une lumière qui l'anime.

Je me rappelle aussi, un soir, boulevard Malesherbes, Potin fermait. On bordait les ananas dans leurs petits berceaux. Nous nous assîmes sur un banc. Je lui demandai de m'épouser. Elle répondit qu'elle n'en voyait pas la nécessité.

Je me résumai :

« Quand j'essaie de prononcer votre nom devant quelqu'un ça ne passe pas; cela me reste dans la gorge. »

Les boutiques étaient comme des fleurs qui s'ouvrent le matin et se ferment le soir.

« Et moi, dit-elle, quand je vois votre nom sur les journaux, j'ai chaud derrière les oreilles. »

A la façon dont ses yeux devinrent troubles comme l'anis dans l'eau, je sentis qu'elle m'aimait. Elle les posa sur son manchon. Les nuages dansaient sur l'horizon.

« Hourra pour les choses qui commencent ! » m'écriai-je.

Denyse est une nature secrète, très fière, très farouche. « Une fontaine scellée, une source fermée », dit l'Ecriture. Mais tout me prouve qu'elle tient à moi. Je ne mentionne que pour acquit le plaisir que j'eus quand, la première fois, je la fis pleurer. Ou encore sa façon de me repousser et un doigt sur la bouche de me dire : « Sage ! »

(La pudeur leur va si bien quand elles en ont, si bien quand elles n'en ont plus, que je ne conçois guère de femmes qui ne désirent pas en avoir.)

Je ne suis pas un sceptique comme ceux d'ici, qui possèdent tout. Je cueille mon bonheur avec plus de fougue et de naïveté qu'on n'en eut jamais. Aujourd'hui Dieu ne nous visite guère, et pourtant, depuis sept ans, en avons-nous fait des libations, depuis le sang jusqu'à la chartreuse verte, mais il nous a laissé, et je lui en fais à mon tour offrande, les femmes, longs vases entrouverts, grands enfants tout chauds.

C'est si joli chez Denyse, si intime. Un papier rayé, de teinte pistache. Une moquette jonquille. Aux murs de fines gravures Louis XVI. Des abat-jour de dentelles. Des vases de Gallé. Partout, dans ces effilés, dans ces motifs au crochet, la main de la femme, comme chez ma tante Emma. Son héliotrope me bouleverse, et sa chemise cent fois croisée, jamais fermée. Je tiens par-dessus tout à son regard. Quand nous nous aimons, je lui fais ouvrir ses yeux tout grands. C'est un moment curieux. Jusque-là, on a devant soi des yeux qui voient; et puis, tout à coup, ils se dilatent, s'ouvrent sur un abîme intérieur et l'on n'a plus dans ses bras qu'un étranger qui goûte tout seul sa folie, tordu comme Laocoon.

« Ce Laocoon de la salle des Pas-Perdus, en a-t-il vu des crises de régime... »

Denyse sommeille. La politique l'ennuie. Nous n'avons pas grand-chose à nous dire. Ma mère savait par cœur tous les ministres de l'Intérieur depuis le Seize Mai...

J'explique à Denyse (elle a mis un *y* à son nom. Elle en met partout. Elle écrit — souvenirs d'hôtels — « j'ai visité la Savoy, la Normandy ») que je voudrais l'emmener dans ma circonscription. Elle prendrait avec moi des apéritifs électoraux, dans les villages, le soir, après le prêche. On entend remuer les assiettes. Les herses rentrent, les pointes en l'air. La fumée des ragoûts monte droite. On boit avec les moissonneurs qui, tout le jour, ont enlevé des gerbes par la taille, avec les agents du planteur de Caïffa, dans l'unique rue aux trottoirs ornés de marelles, de chats boiteux et d'œufs éclatés. Mon chien nous devancerait avec un os, le poserait à terre pour aboyer.

« Ne piétinez pas ainsi, vous faites trembler toute la maison, dit-elle. C'est comme quand l'on dort en wagon et que les lampistes vous réveillent en vous marchant sur la tête. Ne remuez pas non plus mon lit. »

J'admire sa faculté de passer des heures sans rien faire, sans parler, sans penser; moi qui ai la parole si facile. Elle a beaucoup lu, mais elle n'a pas « la mémoire des livres ».

Je lui dis que nous ne nous quitterons jamais. Quand je serai président du Conseil, tout le monde saura pourquoi je m'absente le soir, vers neuf heures. J'irai chez ma vieille amie. Je présiderai des Congrès d'où sortiront des guerres.

« Laisse donc. Ne fais pas de projets, ça ne sert à rien. »

Lorsque je pense à elle gaiement, je la vois à droite; mais tous mes fantômes tristes m'apparaissent à gauche.

Denyse paraît inquiète. Elle n'écoute plus.

« A quoi penses-tu? »

Par surprise, j'essaie d'entrer en elle à sa suite.

D'abord contrariée, honteuse, elle ne répond pas. Puis :

« Je rêve, dit-elle. Je rêvasse... C'est si amusant ces images qui se poussent l'une l'autre, qui arrivent sans qu'on les ait appelées... »

Quelquefois, elle n'hésite pas :

« Je pense à un cheval, à mon peigne d'écaille. »

De toute façon on dirait qu'elle tente de m'échapper. Je sens que sous chaque mot, se cache un souvenir qu'elle ne livre pas.

« Et vous, à quoi pensez-vous ? »

Je ne suis guère plus franc, mais pour d'autres raisons :

« A ma patrie, à l'humanité. »

On sonne.

« Tu attends quelqu'un ce soir ?

— Non personne... Je n'ai pas entendu de voiture... C'est peut-être Laurence qui vient me voir, en voisine. Parfois, tu sais, lorsqu'elle n'opère pas le lendemain matin... »

Naturellement c'est Laurence. Amis de Denyse, nous sommes spontanément ennemis. Un hasard s'arrange pour que nous ne nous rencontrions jamais, mais nous savons tout l'un de l'autre. Plus exactement, je sens qu'elle connaît mes moyens d'action. Les siens me sont moins familiers. Ils m'ont toujours inquiété, déplu. Je suis comme en terrain découvert, épié par un adversaire bien abrité. Y a-t-il des sentiments d'un homme pour une femme qu'une autre femme ne puisse comprendre ? Moi, je ne saisis pas le sens de l'amitié de Denyse pour Laurence.

Laurence, avec sa figure abstraite, où chaque trait est occulte, me déroute. C'est de sa force qu'elle tire son prestige, de sa renommée de chirurgienne; de sa vie, qu'elle cite en modèle; de sa structure morale, dont elle met volontiers l'exemple à la disposition de tous. Attitude de scandaleuse sagesse, affectation de sacrifice, lèvres closes. Elle aime étonner par son efficace puissance, son éloignement pour le plaisir, son jugement infaillible. Elle se dit volontiers sévère envers elle-même afin de pouvoir être impitoyable pour les autres. Enfin un goût de la douleur d'autrui qui toujours m'a fait frémir, soit en chirurgie, soit en amitié.

Denyse l'aime comme une sœur. C'est chez Laurence, en Bretagne, qu'elle va se reposer l'été; c'est à Laurence qu'elle emprunte de l'argent, qu'elle téléphone tous les soirs à sept heures. Elle lui doit son banquier, son tabac, son écriture, l'habitude de ne pas dîner, un grand nombre de gestes et d'intonations.

Laurence pose sa cape, se penche sur Denyse pour l'embrasser. Elles restent accrochées, car le châle de l'une s'est pris, par les effilés, à la broche de l'autre. Je pense alors à la voiture que j'ai rencontrée tout à l'heure rue Royale, et le même invisible tireur me traverse de la même balle. Tous les gestes sauvages, primitifs, par lesquels un homme se manifeste à une femme, que sont-ils auprès de cette secrète entente, de ces rites où deux femmes se reconnaissent ou se plaisent ?... Sous cet air calme, peut être triomphent-elles de moi avec éclat ? S'il prenait à Denyse la fantaisie de réclamer une plus douce assistance que la mienne, son attachement irait-il à ces cheveux gris, à cette cape triste, ornée de palmes et de la Légion d'honneur ? J'en veux rire, sentant l'approche du mal pour lequel je ne connais pas de guérison.

Il est dix heures. Je ne peux pas rester plus longtemps. La présence de Laurence me gâte les adieux. Elle s'est installée si près du lit, que je dois me glisser entre elles et je n'atteins de Denyse que le bout des doigts. Ne pouvant être despotique — son regard me supplie de ne pas l'être — je suis très cérémonieux. Elle croit m'en récompenser.

« Vous me promettez de téléphoner s'il y a du nouveau à la Chambre, ami ? Autrement je ne m'appartiendrais plus..., ami... »

Je ne reviendrai plus ici. J'ai beaucoup de volonté. Je n'ai encore cédé à aucune femme. Denyse me redoute pour cela. Aurais-je dû lui demander de ne pas recevoir Laurence ? Je ne crois pas sérieusement que cette mauvaise bonne sœur à talons plats... Mais Denyse est si simple, si modeste, que lorsqu'on admire sa beauté, son premier mouvement est d'en faire l'offrande. Elle irait jusqu'à donner ses perles... Cependant, on dirait que son collier augmente. Celui de Laurence diminue. Comment lui expliquer ma pensée ?... Je suis un homme fort, je ne suis pas un habile homme.

Peut-on admettre qu'en présence d'une aussi évidente collusion, de cette secrète entente dont la tâche, sinon la plus avouée, du moins la plus évidente est de détruire une harmonie sociale qui a fait ses preuves pour la remplacer...

Les sténographes trempent leur chemise à suivre ce débit saccadé de Longuemare qui, au nom de son groupe, développe les raisons d'un vote de défiance, au milieu d'une odeur de civet. Les tribunes sont bondées. Les ambassadeurs en habit, les femmes décolletées sont venus aussitôt après dîner. Dès la grille, toutes ces lumières, cette file d'autos jusqu'à la gare des Invalides et les chauffeurs lisant *L'Intran* « troisième » sous les phares, cette brume qui brouillait les visages autour du débit de tabac, et les journalistes, dans le salon de la Paix — chemineaux, vieux étudiants, dames reporters — qui recopiaient les ordres du jour des groupes, rédigés pendant la suspension de séance et dictaient par téléphone, expliquaient suffisamment que la situation est grave.

Aussitôt après Longuemare, très applaudi, le patron monte à la tribune. Il est las, plié en deux, les yeux cernés, des taches de potage sur sa cravate. Il parle d'une voix brève, sèche, irritée, qui n'est pas la sienne. « Il s'en ira, dit-il, ce soir même, s'il n'a pas toute la confiance des groupes interrépublicains. »

Sa vitalité est tarie et il fait contraste avec les triomphales Victoires dorées qui, sous lui, s'envolent dans un ciel d'acajou, embouchant de muets buccins. Une lumière livide, soleil d'après dîner, tombe sur les têtes, aussi blêmes que les allégories des murs; le président de la Chambre se penche par-dessus bord, inquiet comme d'une voie d'eau. Au milieu d'un air vicié où la vérité, la bonne humeur se coagulent, accablante cérémonie, on va voter. On sème les avertissements, on s'encourage; les partisans de l'abstention, nombreux, s'enfuient. Le pointage commence.

Denyse est une nature si douce, pourtant. Pleine d'attentions. Parfois elle me téléphone : « Je suis nue, si ça vous faire plaisir. » Généreuse et bonne. Je sais qu'elle m'aime. Je n'ai pas eu raison de me mettre en colère. J'ai de la volonté, mais pas à tort et à travers. Me voici rédigeant un petit billet qu'elle aura demain matin à la première heure :

Quand je suis arrivé, mon chéri, la partie était perdue. Je n'ai pas eu à intervenir. Demain, sans doute, je serai libre. Veux tu partir avec moi pour le Maroc? Je pense à Ma Coquille.

Les couloirs, qui s'étaient vidés, rendent leur double flux. On annonce l'adoption de l'ordre du jour Longuemare par 317 voix contre 282. Le Cabinet est démissionnaire. Tumulte. La sonnette rend un bruit grêle, bientôt délayé. On entend Cornet : « Vous n'êtes pas seulement des imbéciles, vous êtes des salauds. Dissolution ! »

Le patron se lève, prend sa serviette de cuir et traverse l'hémicycle. Nous le suivons.

« Je voulais, dit-il, une majorité pour gouverner, et non une majorité de séance. »

Il est trop tard pour aller ce soir à l'Elysée.

Le vide se fait autour de nous. Les photographes sont allés développer leurs clichés. Des amis viennent sans conviction nous serrer la main, recommander leurs parents pour des grades dans la Légion d'honneur, pour des perceptions. Les machines à écrire cessent de mitrailler sous les lampes vertes. Sur le perron, plusieurs personnalités âgées, le col relevé, un mouchoir sur la bouche, laissent entendre, sous les étoiles, que le Président de la République les appellera demain matin.

Je marche, mon chapeau à la main. Comme je n'ai plus beaucoup de cheveux, la fraîcheur de la nuit arrive tout de suite. Je n'ai pas envie de me coucher. Je m'échappe. Il est une heure. Des quartiers entiers s'éteignent d'un coup. La police use l'asphalte. Je sens venir une de ces crises nerveuses qui sont pour moi récentes et que je redoute. Peut-être sont-elles dues à ma blessure, à l'excès du travail ? Parfois des troubles graves. Je mc dis : je ferais bien telle chose, mais mes nerfs me suivront-ils ? Je n'ai que les apparences de la santé. Ma mémoire... Il faudra que je voie demain si je ne fais pas de sucre. Pourrai-je, à soixante-dix ans, présider un Conseil après une nuit de chemin de fer ? Nos pères, eux, étaient faits d'une seule coulée. A la campagne, je me calmerais, par un beau soir comme celui-ci. Autrefois, j'aimais revenir sur la route enduite de lune, prise entre les fossés humides et le fracas des grenouilles. Ces nuits des villes sont comme les truffes, parfumées, obscures et faisant mal aux reins.

La douleur a son couvert mis chez moi...

C'est un vers que j'ai fait au lycée. Il me revient. Je m'attendris sur son sens profond. J'aurais dû écrire. Retournerai-je boulevard Bineau ? Peut-être Laurence y est-elle encore ? Si c'était un homme, j'irais la trouver demain et lui dirais deux mots. Peut-être passera-t-elle toute la nuit ? Denyse aime qu'on lui tienne la main pendant qu'elle dort.

Je suis revenu à mon ministère. L'huissier de service ronfle sur le canapé de velours. Ma table est en désordre. De nouveau, voici les sonnettes, les timbres de caoutchouc. Le tapis est jonché de papiers froissés, d'enveloppes égorgées. Je débouche le cornet acoustique qui descend le long de la fenêtre, je lui souffle dans la bouche, mais personne ne répond. Des lettres d'électeurs, d'amis, de fous, des billets de faveur, des catalogues de grandes ventes. Je ris de voir mes fébriles annotations de tout à l'heure; des chiffres, des points d'interrogation. Je déblaie; peu à peu apparaissent ces niais instruments de travail que j'avais trouvés à mon arrivée et que demain, sur la table nette, mon successeur rencontrera d'abord : le pot de colle, les ciseaux, la pelote à épingles.

Longtemps, je fais des comptes devant mon coffre-fort ouvert. Il faudra passer les fonds dès demain matin. Grâce aux talons du carnet à souche, je revois les dix mois de mon ministère. Que de démarches, d'intrigues, de visites, de promesses ! Si encore c'était pour construire, pour laisser quelque chose derrière soi, un pays plus heureux, des finances assainies, moins de gêne, de haine...

J'essaie de penser à autre chose. Les souvenirs voluptueux piquent les yeux comme de l'ammoniaque. Je vais à la fenêtre. Sur la pelouse noire, les statues allégoriques font des réserves claires. Je me sens si guigneux, si faible.

Une ronde de pompiers, le falot à la main, entre dans mon bureau.

San-Remo, 1922.

LA NUIT DE PUTNEY

Il est rare d'entendre un homme très noir, en chemise de flanelle rose, se pencher sur vous, dire : « Sans *fatuosité* — (que je me coupe la moustache si je mens) — j'ai une situation très *ascendante...* », et l'avoir en effet.

Ainsi, Habib, couché sur le flanc, dans la cabine laquée, le buste dressé hors d'un plaid, comme ces tanagras funéraires auxquels il ressemblait tant par cette pose et par sa face orientale. D'un point situé sous la racine des cheveux partaient un seul sourcil et un nez en crochet qui soutenait, comme une pièce de boucherie, les lèvres épaisses et saignantes. Au-dessous, un menton en pleine pâte et des joues d'azur que la poudre rachel faisait virer au vert de gris.

Autrefois le major de l'hôpital auxiliaire n° 32, à Marseille, celui qui traitait les gangrènes par le cognac, ne laissait point passer une aussi belle occasion.

« C'est vous le marchand de tapis ?

— Habib Halabi, pour vous obliger.

— Vous trouverez toujours à coucher dehors, sans permission, avec un nom comme ça. »

Mais Habib répondait : « Veuillez, monsieur,

veuillez, madame », ne regardait jamais en face, ne se fâchait pas quand nous disions en l'imitant, après l'avoir botté : « Magnifique seigneur, vos volontés seront exécutées » et considérait justement le toubib comme une plaie un peu plus incurable que les autres. Avec cette méthode, il nous a eus tous. Il est resté quatre ans dans cet hôpital, où j'étais moi-même zouave auxiliaire inapte, employé aux écritures, pour surprendre, en soignant les blessures de la face, les secrets de la beauté. Et comme tout métier en France (pays où il n'est pas de manœuvres) devient un art, charcutier, puis sculpteur. Quatre ans passés à éviter les contre-appels, la Légion, à s'entendre dire par les officiers de l'armée d'Orient :

Baladi et balada,
Cacahouètes et chocolat,

à lisser ses cheveux dans une glace de poche, à manger du veau iodé, à tourner son chapelet d'ambre et à descendre chaque vendredi à la visite avec une albumine d'emprunt, dans une éprouvette.

Aujourd'hui, un cauchemar poussant l'autre, nous voici revenus à la vraie vie, celle qu'on gagne, après celle qu'on perd. Le major est à la retraite et pêche l'anguille, les mutilés se sont syndiqués, les infirmières ont retrouvé un mari ou un concierge et, jusqu'à la mort, ne découcheront plus.

Seul Habib a appareillé vers de grandes destinées. Il ne parle plus que de « billets de cent mille ». Il a l'air si prospère que des gens qui n'ont pas besoin d'argent lui en demandent, rien qu'à le voir.

Son anglais est impressionnant. Il prend des leçons pour être à même de prononcer sans accent *Cladidge's* et *romance,* les deux mots les plus difficiles de la langue.

Le voyage entre Paris et Londres, court et compliqué, distrait. Le lendemain, on regrettera Paris, ses avenues ornées d'arbres, de vespasiennes, de kiosques, de bancs, ses soupes à la luxure, ses maisons d'angle avec, sur six étages, des stores au filet et des cires perdues de chez Barbedienne; ses astres municipaux, ses ponts bijou, la Seine que des livres empêchent de déborder, et chaque figure au café, comme un tirage original. On pensera à la plaine Monceau, humide pâturage, à ses ciels troués de grands tramways roses, aux ateliers d'artiste (du temps où il y avait encore de l'art), à ses hôtels Renaissance, en peluche et fer forgé, avec des persiennes closes d'où filtrent le Gounod, et par les soupiraux le parfum des cardons à la moelle. Mais le premier soir, Londres est sublime avec ses grands pans de lumière dressée ou abattue dans une ombre épaisse, douce comme la loutre. Des rues odorantes et désertes : une marée basse, OYSTER SALOON et, sur une rocaille trompeuse, les huîtres vitreuses qui agonisent.

Dès l'entrée des grandes lignes, à la gare du Nord, à l'endroit où l'on consulte le bulletin des traversées, cela sentait l'eau salée; à l'autre aile, à l'arrivée, c'est au contraire Paris qu'on aspire tout d'un coup et son parfum de savonnette qui arrive par le courant d'air de la rue Lafayette. A Calais, la nuit est tombée, et le phare de la gare centrale commence ses brasses lumineuses. Un grand vent balaie les eaux territoriales, tout chargé de la poussière des ciments Portland.

C'est alors qu'un stewart, tendant au bout des doigts un thé complet, exigea le passage. Il ouvrit la porte d'une des cabines de luxe, sur le pont, à côté de la T. S. F., et je reconnus Habib. Il avait la tête renversée, les paupières bistrées, cousues de cils courbes. Je le voyais en raccourci, comme une pièce anatomique (dont il prit, dès les premières vagues, quand la bile se fût fixée au sang, la couleur); sa moustache tordue à la pommade hongroise lui entrait d'un coup dans le nez dont elle obstruait les larges narines poilues.

Sur un pliant, un nécessaire de voyage en vermeil, d'où s'évaporait un vieil armagnac.

« Bibi, mon vieux, c'est très bien, chez toi. »

Il ouvrit un œil à cornée bleue, laissa couler un regard auquel il noua un sourire sur une bouche de dix-huit carats, prit une gorgée de thé sans enlever ses gants beurrés.

« Pour une tumeur graisseuse au cuir chevelu je soigne la femme du président du conseil d'administration de la South Western, actuellement en résidence à Paris, au Ritz. Quand le gros temps ne permet pas, comme aujourd'hui, de faire la traversée en avion, on réserve à Bibi — tu piges ? — cette très *sympathique* cabine, la cabine d'Etat, qui est celle des membres du gouvernement et des messagers du Roi. »

Un diamant fulgura, dont l'éclat fit briller à nouveau dans ma mémoire, d'un même feu humide et gras, le mot Ritz.

« Mon temps vaut vingt guinées l'heure, c'est-à-dire plus de mille francs au cours actuel, et je suis dans le *Who's who* (il prononçait vô-vô) tu sais, le bottin des English. »

C'est alors que d'une voix trouée, comme celle des gramophones quand le saphir est usé, Bibi me parla de sa situation très *ascendante*. Moi, je l'avais connu dans une belle dèche. Une vraie dèche de 1917 où, avec toute l'ambition du monde, il n'y avait qu'à plier le dos : le pâté de tête de cochon et *Paris-Midi* en guise d'assiette, les par-dessus retournés dans leur vrai sens après avoir été trop portés à l'envers, du papier dans les souliers, les cols lavés à l'éponge, un képi d'adjudant pour passer la tête aux guichets et réclamer le quart de place, les nuits sous les escaliers, les aubes où l'on se peigne avec les doigts, les bottines faites aux rideaux, les dents brossées avec la serviette des lavabos, et les femmes exigeantes qui récompensaient en sucre. Malgré tout, il vivait avec courage, sentant, à des signes mystérieux mais certains, venir, pour lui et ses pareils, les revendeurs de mobilier, les marchands de tapis, les dompteurs de descentes de lit, les faux parents, les fournisseurs de certificats de désintoxication, les receleurs de petites cuillers et de pékinois, des jours de prospérité incroyable, une fois que tous les Aryens se seraient mutuellement refroidis dans leurs querelles locales. Au fait, ces années-là n'étaient peut-être pas pires que son enfance (dormir dans l'herbe avec les ânes, tandis que son père prêtait sur la récolte des cocons, exportait des noyaux d'abricots et vendait dans un parapluie ouvert des cartes-pochette aux snobs de Palestine venus se rafraîchir sur les pentes de Sanine); ou plus tard, quand sa mère, couturière, l'emmenait en journée chez là femme du consul d'Italie (il était devenu ainsi protégé italien) et qu'ils s'étaient fixés à Beyrouth, ville des confiseurs et des Jésuites, des changeurs et des bars grecs où, pendant les tableaux vivants, des missionnaires américains projetaient des versets sacrés sur la chair en coton des figurantes.

« En te quittant, après l'armistice, je me suis établi à mon compte rue Victor-Massé, dit-il en croquant des graines de tournesol dont il avait les poches pleines. Tu as peut-être entendu causer, puisque tu es du quartier, de l'*Esthetic Institut ?* A l'automne 19 j'étais attaché aux *Bains Sémiramis,* Leicester square, comme garçon d'étuves. Un drôle d'endroit. Cela fonctionnait toute la nuit. Des clients bien polis et des carreaux bien dépolis. Pourboires royaux des Canadiens démobilisés. J'ouvris au printemps suivant *Habib's Saloon de Beauté,* dans Bloomsbury. La fortune m'a trouvé là. »

L'histoire, comme une idiote, mécaniquement se répète. C'était une de ces fortunes d'Orient, le vol du tapis magique au-dessus de Bagdad, la misère s'écroulant à l'appel des dix-huit trompettes d'or, la foule apprivoisée par la prestidigitation de l'affranchi, captivée par son origine trouble, ses doigts noirs emplis d'un charme suspect, les palais bâtis en une nuit au milieu de l'étonnement d'un Occident sans mépris ni sagesse. Paris est trop net et le génie français une gelée immangeable à force d'avoir été clarifiée; mais Londres ne tarit pas de ces hasards romanesques. Des boues fumantes monte une vapeur dans laquelle se construit cette cité orientale apparue aussi du promenoir de l'Alhambra, derrière des rideaux de velours noir, vers laquelle chaque soir, le long des quais, se dirige la file des dromadaires porteurs de publicité lumineuse. Justement, à la sortie des artistes, derrière Charing Croos, commencent les inscriptions hébraïques, les ventes de documents koptes, de pierres précieuses « sur papier », les dépeçages de diadèmes, les lavages de reconnaissances, les livraisons de drogues dans les petits paquets rouges de thé chinois, tout un trafic messianique, honteux et puissant.

Surtout Habib était arrivé à temps, au moment précis et délicieux où les biens de ce monde sont en train de passer des mains des seigneurs anglais à celles des Juifs russes.

La mer était forte et lançait dans les côtes du bateau, juste au-dessus de la ligne de flottaison, des coups sourds, suivis d'une douche élastique, qui lavait le pont.

Habib, dit Bibi, avait pris un ton de confidence, c'est-à-dire que ses lèvres violettes étaient immobiles, avec un tout petit trou à la commissure de droite par où coulaient les secrets. Sur moi, il braqua, amical et menaçant, une sorte de browning en or qui était son porte-cigarettes, garni de grosses muratti, rangées comme des cartouches sur la poitrine d'un cosaque.

« Pige un peu... » (Il se servait de cet argot de boulevard aujourd'hui englouti : *piger, un type, aller à pattes, en pincer pour,* qui survit dans tout le Levant. C'est ainsi qu'il abusait du mot « sympathique » appliqué aux objets : une chambre à coucher, un fume-cigare sympathiques.)

« C'est à un vieux monsieur, tout comme une petite putain, que Bibi doit son succès. Un vieil acteur mondain, Aloysius Marsham Moon, à soixante-dix ans, se mit à avoir du lait et exigea l'ablation des glandes mammaires. Il était méchant, savant, avec beaucoup d'influence sur les jeunes Américaines de la société, mariées en Angleterre. Elles n'osaient rien sans lui. Il les formait, les faisait rire, pleurer ou du moins dégorger dans le vinaigre de sa compagnie. Il m'a appris, comme à elles, à connaître les vases Han et Picasso. Il donnait d'exquis dîners avec des bougies noires, opérait des mariages, menait paître ses pensionnaires à Covent Garden, les faisait goûter avec Berenson qui leur expliquait que Titien n'a jamais existé, les abouchait avec leurs aînées arrivées à l'âge d'être duchesses, contribuant à édifier ce bloc compact, intérieurement fait de haines mortelles mais au dehors inaltérable, que forment en chaque pays les dames de la colonie américaine.

« Malgré l'insistance du sieur Moon, je refusai de l'opérer, tentai d'obtenir par des passes magnétiques une résorption de sa poitrine, et avec succès : en moins de trois semaines, j'eus une clientèle, parmi la plus riche de Londres. Je m'installai à de Vere Gardens, dans une petite boîte blanche et verte toute coquette, que j'ai quittée au printemps dernier pour Hanover Square, où je t'attends, vieux zouave.

— Voilà du succulent travail. Ça te change de la boucherie faciale des jours de gloire, hein ? Quelle est ta spécialité ?

— Toutes. Je lutte contre le Mal. La médecine, « tu capi' », ce sont de petites passes d'armes d'un moment avec la maladie; dès que ça devient chronique, il n'y a plus personne. Moi, au contraire, je livre une lutte qui dure des années. Je prends la Mort toute petite. C'est pour cela qu'il m'arrive de l'apprivoiser. Je m'attaque au surmenage, migraines, furoncles, poils follets, mains moites, masques de grossesse, ronflement, coliques, cauchemars, grimaces, taches de rousseur, obésité, crise de nerfs, âge critique; je réduis le bégaiement et la chair de poule.

— Tu est grand. *Sir* Habib.

— Pas encore, répondit-il, vexé. J'oubliais : l'haleine fétide par les iodures...

— ?...

— ... Et la mélancolie par la faradisation. On peut dire que toute une ville est étreinte par ces patoches-là : vois ces doigts, je les ai assurés pour quinze mille guinées comme les cigarettes ambrées, ils sont à mettre dans un écrin avec une couronne et : *Fournisseur de la Cour; les seuls utilisés par l'aristocratie et le corps diplomatique.* »

Il me tendit, hors d'un poignet rose (retourné, après avoir été porté à l'endroit, car Habib, malgré son élégance, ne pouvait se résoudre à changer de linge), deux mains soudées à un bras poilu, orné d'une plaque d'identité en or, mains de fiche anthropométrique, à pouce court, aux doigts carrés, dites « mains élémentaires », d'où s'échappait un fluide puissant, mais de très grosse qualité.

« Elles sont du luxe, comme Bibi lui-même, comme tout ce qu'il touche, tout ce qu'il distingue. Luxe et même haut luxe, puisqu'il faut aujourd'hui renchérir. »

Et frileusement, il les cacha d'abord dans ses gants à crispin, puis sous sa couverture de voyage.

J'admirais Habib, bien que j'eusse souvent rencontré de ces Orientaux jamais désarçonnés par les ruades du sort, cyniques, passant à travers tous les barreaux de la misère, criant avant qu'on les touche, s'adaptant instantanément, jamais étonnés, toujours insolents, loquaces, magnétiques, assez forts pour quitter à temps la partie avec leur bénéfice. Grâce à cela, servis gratis par de ces coups de chance qu'eux seuls, et les femmes, connaissent; cheminant en quelques mois incroyablement, le derrière encore tout marbré de politesses, mais le chef déjà rayonnant.

« Tu dois en voir, de jolis corps !

— Il y a du lard et du cochon. Souvent aussi de maigres, avec des seins plats pendus aux côtes comme à l'espalier ces fruits sucés par les mulots, sans hanches, les pieds froids.

« Pour moi, toutes les femmes sont charmantes. J'ai, de plus, le culte des Anglaises. Du genre classique de ceux qui disent : Quand elles sont jolies !... »

Ce qui me fit l'interrompre :

« ... De belles peaux ?

A quoi sert une belle peau quand elle n'est pas tendue, soutenue par le dessous ? Ah ! tu peux chercher les trois sillons du ventre et les vingt centimètres entre chaque sein exigés par les canons de l'Antiquité ! Ce qu'on trouve trop souvent, ce sont des cuisses creuses, flottant dans les bas, la taille sous les jarrets et puis, des prétentieuses, recevant dans des intérieurs funéraires, endettées, mais des brûle-parfums avec du chypre à cinq livres le flacon, croyant au marc de café, changeant de maison tous les huit jours, montant tous les chevaux sauf ceux du cabinet de toilette, obligeant à revenir à midi parce que le matin pas réveillées, ou trop chatouilleuses ! Parle-moi des belles épaules de chez nous, depuis des siècles habituées aux fardeaux... »

Il gardait, vivaces, ses goûts d'Orient pour les femmes grasses, dont idéalement il cernait du pouce, dans le vide, les louables contours.

« Les Irlandaises, les Juives, plus charnues, rétablissent un peu la situation. Parmi elles, on trouve souvent des déesses. La plupart des Européennes, c'est facile à soigner, bien entretenu. Mais te dire tout ce qui m'arrive des quatre coins du monde ! Les femmes de l'armée des Indes avec le décolleté tuméfié, la peau éclatée par le polo, au soleil; les chasseresses de l'Ouest africain avec des rides blanches dans le visage noir; les épouses de fonctionnaires égyptiens aux abatis cuits par les sables;

celles des employés des Douanes chinoises percluses de goutte et de gravelle, à cause des cocktails; et les goitres de Rhodésie, les maladies de peau australiennes, pour m'arrêter là... L'Empire défile à Hanover Square, usé, vieilli, estropié par les médecins locaux, décollé par toutes les latitudes et on repart récuré, radoubé, en pleine convalescence esthétique. »

Habib se soulageait, insistant sur les faiblesses de sa clientèle, inondant de son mépris toutes ces femmes, avides de jeune beauté, à qui il devait sa prospérité, féroce comme un domestique humilié par son travail et qui crache dans les plats.

« Quelle brute ! » fis-je.

Le vent cessa de siffler, les murs ronds des vagues que nous emmenions à nos côtés s'aplanirent; nous entrions au port. Par le hublot, nettoyé de sa buée d'un coup de manche, le port apparut, illuminé pour cette fête qu'est toute terre. Les bouteilles cessèrent de trembler dans leurs violons et des douaniers montèrent à bord. Habib s'enferma dans sa pelisse de castor à brandebourgs, le chapeau en arrière, rédigea sur les genoux du garçon aux télégrammes un appel à sa femme.

« Dis-moi, le zouave, tu ne connais pas Mme Halabi ? Un beau « numéro », hélas; mais indispensable. Jalouse, menteuse, impériale, attirant la veine; et me portant moi-même avec toute ma fortune sur ses robustes épaules de garce. Viens la saluer ce soir à l'Opéra, dans ma loge... n° 28; on joue *Samson et Dalila*.

— *... comme s'ouvrent les fleurs...* »

Les trains éclairés affleurant aux quais de bois, les longues vitres embuées des Pullmann promettaient, après une course folle à travers la nuit et les houblonnières du comté de Kent, une entrée victorieuse dans Londres, toute en joie et en feu sous la cendre des brumes.

Habib avait sa place retenue dans le premier train : moi dans le deuxième. Il leva, en manière de jeu, très haut, son feutre vert et longtemps je vis, sous la douche voltaïque du quai, sa tête goudronnée, cynique et fervente qui dominait l'édifice de son corps de beau forçat libéré.

*

Dans une coquille d'ombre chaude, les joues encore brûlantes du vent de mer, des tambours plein les oreilles, après le train tirant sa ferraille dans la nuit, tantôt je dormais et tantôt j'écarquillais les yeux. On ne voyait rien que des cariatides dorées, affligées par le poids de tant de spectacles d'art. Mais à se pencher, on recevait l'image d'un chanteur fictivement ému, inscrit dans le cerceau d'une projection. Enfin une aigrette de verre filé frissonna et cet éclair fut suivi d'un bruit de fourreau.

Habib n'était pas dans sa loge. Mais, pour faire oublier ses torts, il m'avait mis en valeur et j'eus la place d'honneur entre Mme Halabi et Mme Mangematin, la modiste française d'Albermarle St., avec droit aux questions acidulées et aux réponses menthées. Derrière nous un officier étranger gardait les manteaux et protégeait des courants d'air.

Mme Halabi, vêtue de singe hurleur et d'une draperie de panne ponceau, demandait des explications. Elle se penchait vers moi, avide de savoir, amicale, spongieuse. Je lui dis que Samson n'était qu'un mythe solaire babylonien.

« On ne sait plus qu'inventer », soupira-t-elle.

Par quel sortilège le décor allait-il à la fin s'écrouler comme une boîte de cubes ?

Il y avait autour de nous une odeur de pralines, de baume sédatif et de pâte au sabre. Mme Halabi ressemblait, avec son visage large, alourdi de nattes, à une impératrice de jeu de tarots, l'œil amer et majestueux. La méchanceté se lisait sur elle comme sur une affiche. A la fois irritée de l'abandon où la laissait le docteur, et fière des succès de celui-ci. Victime et bénéficiaire de son audace. La seule personne qui n'eût pas à regretter qu'il fût loquace et familier. Craignant d'avoir à le prendre en flagrant délit et, pour la petite consolation de chez Lacloche qui suivrait, le souhaitant. Elle exerçait sur lui une dictature à laquelle il se soumettait par intérêt, crainte (ne portait-il pas au front les cicatrices d'assiettes reçues à la volée ?) et superstition; il se dérobait derrière l'huis capitonné de son cabinet (mais qu'il ne pouvait verrouiller en vertu d'un veto tacite) et grâce à des soins à domicile. Mme Halabi était allemande. Elle se disait native d'une ville libre, pour alléger son cas. Il l'avait connue à Eski-Baba, où elle le consulta pour une irritation locale. Quand elle en sut la vraie cause elle se proposa de sauter par la fenêtre. L'amour est aussi une affection de la peau. Habib la consola, l'emmena à Monte-Carlo et postula sa main. Ils se racontaient leurs peurs, se flanquaient des claques, collectionnaient la porcelaine d'Imari et, se mentant avec d'ininterrompus « Par mon honneur ! », tous les soirs faisaient la caisse, mutuellement s'épouillant de leurs scrupules. Elle lui préparait de la kebeba au yaourt.

Le rideau tomba, le lustre éclata et le spectacle fut dans la salle. Habib sortit d'une loge de côté; se dirigeant vers l'avant-scène voisine. Il se ravisa et vint vers nous. Il était là chez lui, comme partout, mais plus spécialement dans cet affreux séjour qu'est une salle de théâtre un jour d'abonnement. Écrasés par l'ennui du spectacle, les visages se reprenaient à la vie. Machinalement les femmes ajustaient leurs cheveux du bout des doigts roses, remontaient la patte du décolleté, frottaient leurs lèvres, leurs bagues. Il y avait des dos pleins d'osselets répartis de chaque côté d'un cordon noueux, des dos musclés de portefaix, de grands dos plats comme des pierres de trottoir, des dos qui démangeaient, qui apaisaient. Dans chacune des loges, ou presque, comme dans les cases d'un établissement de bains, Habib comptait une cliente. Il chercha de l'œil mon admiration, la trouva, s'en reput et sourit, passant son doigt entre son col de chemise et son cou trop gras comme font les cuisinières aux daubes pour les empêcher d'adhérer au moule. Il était chargé de dépouilles, de coupures de presse, d'orchidées, de bonbons glacés, de rendez-vous et de chèques, qu'il déposa sur les genoux de sa femme avec le national : « Veuillez... Madame... Veuillez... »

« ... J'oubliais cette bonbonnière. Vois, on chasse dans le monde entier, mais c'est toujours à Londres qu'est exposé le tableau final.

— Il en résulte, dis-je, une bien grande prospérité.

— Qu'on dit ! Méfie-toi. Les bijoux russes portent malheur. Déjà ce pays-ci a la mer autour du cou comme un nœud coulant... As-tu remarqué que tout est à céder ? Des annonces, encore des annonces; les salles de vente pleines; on liquide les bateaux-maisons, les demeures géorgiennes, les pelouses avec leurs daims, les résidences désirables, les acres de chasse, la vaisselle plate, les pêches de truites, les maîtres du XVIIIe; tout ce qui leur a servi à se donner du bon temps pendant que le monde travaillait... »

Bibi ne continua pas. Il se défendait d'être théorique :

« Je n'ai pas confiance dans mes idées, mais dans mes doigts. »

En fait, il avait plus de doigts que d'idées. C'est le cas des illustres capitaines.

« La Grande-Duchesse. Avant-scène B. Viens voir ça de près, vieux zouave. Viens donc. »

J'essayais de me dérober. Mais il revenait comme une mouche pendant la sieste.

Il se regarda dans une glace, allongea sa chaîne de montre, frotta ses perles du revers de sa manche, se sourit :

« Rien ne m'épate, même pas moi, car je suis né dans un petit village qui a deux mille ans d'existence et où l'on retrouve les traces de vingt-six civilisations. Mâloum ! Que penses-tu de mon habit ? Il faut avouer que je suis « nippé à la « franque », comme on dit chez nous. »

Puis sur un carnet il inscrivit : « Demain, mercredi, à six heures. Grande-Duchesse, grand jet. »

Pâle comme ces viandes anémiées par la presse à jus, la Grande-Duchesse avait de grosses joues marbrées que soutenait une jugulaire de perles fines. Des yeux en eau, des attaches lourdes, un nez en pierre à aiguiser et cette timidité à quoi se reconnaissent les souverains. Portée à ces confidences spontanées qui sont les fruits d'un isolement congénital, et qui, toujours suivies des trahisons immédiates du domestique, contribuent à la mauvaise réputation des maisons royales.

Elle disait qu'elle était un « garçon manqué »; qu'elle finirait sa vie en épousant « le charbonnier ou l'ambassadeur du coin ». Elle recevait quotidiennement Habib. Chaque jour elle lui confiait, pour le remettre au point, l'appareil de sa beauté. Ensuite elle traînait à travers la vie une pesante envie de s'amuser, boire, dépenser, vouloir être de tout, « mitmachen », disait-elle, en allemand. Son père pendu, son frère fusillé, ses enfants mangés par les chiens, la vente de ses terres et quelques suicides n'avaient pas altéré en elle cette formidable ingratitude ni cette mauvaise humeur dont témoignent ceux que le sort a comblés. De riche à ne pas le savoir elle était devenue pauvre à ne plus compter. De sorte qu'elle n'y voyait aucune différence. Elle ne disait pas d'ailleurs : « Je suis riche; je suis pauvre », mais : « Mon banquier est bon pour moi, mon banquier est méchant. » Avec cela ces goûts germaniques qu'elles ont toutes pour la broderie sous la lampe, le tutoiement et les photographies avec trois générations étagées. Amèrement, elle venait allonger l'ancienne liste des souverains réfugiés, celle des « si j'avais su » de Chilslehurst et de Twickenham.

« Mon doux Bibi ! Animal ! j'ai cru que tu n'allais pas venir. »

De tendances rêveuses, la Grande-Duchesse était naturellement éteinte, mais dès que s'approchait un homme elle se rallumait et brillait comme une bougie.

« Doit-il en avoir des occasions, celui-là!

— Que Votre Altesse Impériale sache que chaque femme est pour moi un aliment complet, un univers où je trouve quelquefois mon bonheur, souvent mon plaisir, et toujours ma subsistance. »

(Habib n'était pas un don Juan, comme l'on pourrait croire. Il ne détestait pas les coquetteries, mais Mme Halabi lui suffisait.)

La dame écoutait avec un rire charmé des soupirs de théâtre, une émotion fictive que trahissait un œil réaliste occupé seulement de se promener sur nous à mi-corps. Elle nous regardait comme un gourmet regarde un bon plat. Nous nous tenions tous trois au fond de la loge, dans le petit salon. L'obscurité s'était faite de nouveau. Elle nous accompagna jusqu'à la porte et à la lampe bleue.

Comme nous nous disposions à sortir, elle arrêta Habib de la main :

« Franchement, comment me trouves-tu ? »

Et dénouant sa robe drapée, elle montrait un gros corps fruste comme ces colonnes romanes gainées de damas au XVIIIe, que l'on voit dans les églises espagnoles.

« Par mon honneur, très bien, fit Habib agacé et désireux de s'en aller. Belle comme la lune. »

Elle offrait à cette lumière mortuaire un corps indigent. Elle insistait.

« Alors, vraiment ? Encore désirable ? »

(Habib jura entre ses dents quelque chose comme : « Que ta maison soit détruite ! » ce qui était déjà fait.)

« Mais oui, répondait-il, avec lâcheté, lassitude et ce sérieux qui jamais ne le quittait. Mais oui, c'est très suffisant. »

*

Ciels pavoisés de nuages soufflés, couturés de gros câbles téléphoniques; banques grillées où l'on distribue l'argent avec une pelle à charbon; maisons aux portes vertes; gants lavables; petits chats bleus; des chapeaux de Paris sur lesquels poussent des primeurs inconnues; un torrent de travailleurs qui viennent de se lever de bon matin : c'est midi à Hanover Square.

Une des grandes maisons à l'ouest de la place, avec une porte entre colonnes, deux buis taillés, du tulle d'or aux fenêtres, des marches d'une candeur de plastron et une très modeste plaque de cuivre gravé sous la sonnette. Une Rolls-Royce devant la porte et aussi deux de ces voiturettes que des dames en peau de panthère conduisent elles-mêmes le matin et qui attendent seules au milieu de la chaussée, la direction enchaînée et un aberdeen terrier sur le siège.

Un domestique en livrée, les cheveux au blanc d'Espagne, me fit glisser d'un vestibule de marbre jusqu'à un salon en crème cuite. Ce n'était certes pas la salle d'attente d'un ordinaire docteur de beauté, en « Louis XV amélioré », comme disent les catalogues alemands, avec des réclames : « CORSAGES PAUVRES ! 20 JOURS POUR UNE BELLE POITRINE », des crachoirs, une collection du *Life,* des appuie-tête au crochet, des diplômes avec reproduction de la mentionnière-col et la vaniteuse monnaie dorée des médailles hors concours.

Un mobilier vénitien rehaussé de coquilles en or fin, des consoles à revêtement de malachite reposaient sur un tapis bleu de roi, comme une flotte de parade sur l'eau d'un port tranquille. Le pur goût syrien, celui des saisies-warrants, n'apparaissait que dans les housses à pompons, les chromos, les aiguières avec des savons parfumés, des bonbons et un faux Khoraçan. Sur la cheminée, mille invitations dans le cadre de la glace et dix-sept photographies prêtes à être sautées par une auguste cavalière enfermée dans un cadre d'argent ciselé, de confection hindoue; entre les sabots du cheval on lisait, d'une impériale main :

Je suis enchantée de tout ce que vous m'avez fait.

FRÉDÉRIQUE-JEANNE.

Sur les portraits de moindre format il y avait des dames en robes de bal et diadème, d'autres en bergère, un grenadier-garde, et, en pattes de mouche, ce témoignage autographe d'un ministre lettré :

§ *Les yeux sont la fenêtre de l'âme.*

§ *Ce sont de sérieux coquins faits pour porter dans les cœurs ce trouble délicieux, précurseur de l'amour.*

§ *Je souffrais : votre tisane d'asphodèles a fait merveille.*

Près de cette lettre, encore des rois et des reines, avec cet air doux et si résigné qu'on voit sur leurs lithographies épinglées aux cabines des aiguilleurs.

Dans un placard contigu, une téléphoniste casquée de nickel était occupée à engager l'avenir immédiat de Habib aux trois lignes, Central 1665, 66 et 83. Cette pièce était comme le cœur de la ville. Des maisons luxueuses, des quartiers riches tout entiers lui payaient tribut, subissaient sans révolte sa loi, comme des colonies indolentes celle d'une cité conquérante et active.

La porte s'ouvrit et Habib apparut, tout frais à cette heure de la matinée, avec cet éclat poudré des chanteurs au premier acte. Un peu de savon à barbe séchait aux lobes des oreilles.

Il portait une cravate noire à raies bleu pâle, aux couleurs d'Eton (alors qu'il avait, en réalité, été élevé à l'école des Maristes de Jounieh), ce qui, pour les Anglais, constitue une fraude bien plus grave que ne pourrait l'être chez nous un port illégal de décoration.

Il me prit aux épaules et me jeta contre une porte matelassée qui retomba lourdement.

« J'y laisserai ma peau. J'ai un travail fou. Encore deux clientes à faire avant le déjeuner; à trois heures, je dois aller à Newmarket voir mes chevaux. Les entraîneurs, les jockeys, tu sais, de fichus voleurs. Mais je ne céderai pas tant que les quotidiens illustrés n'auront pas reproduit un million de fois Bibi en tube gris et en redingote — en stambouline, comme l'on dit à Péra — ramenant son cheval au paddock et félicité par le Roi.

— Vanité ?

— Publicité. »

Habib cargua des velums horizontaux et latéraux, découvrant des vitres par lesquelles fut partiellement admis un jour livide, déjà très usé par la banlieue. Nous étions dans une cour intérieure transformée en infirmerie. Je vis un lit réglable, des houppes géantes dans le talc, une cuve de vaseline, des éponges et des gants de caoutchouc entre des jéroboams pleins de lotions aux vives couleurs.

« Mets cette blouse, fit Habib. Tu vas rigoler. Ça te rappelle l'hôpital de la rue de la Prison, hein ? Il me reste à faire Mrs. Harpye : un ressemelage facial; ensuite Paméla Moyss, électricité générale. Tu seras mon aide. Après ça, repos. On becquète. Et pas leur *bread and butter and tea* avec du cresson, tu sais; j'ai fait venir du Café Royal un Richebourg 93 bien tassé. Aujourd'hui, les gens sont pour le vice et l'eau claire. Bibi en est encore au plaisir et au bon vin. C'est sa force.

« Ensuite, vois mon carnet, ça recommence à cinq heures : Max d'Albanie; un ponçage de pieds pour une Chilienne; cinq heures trente, une épilation; six heures, grand jet pour la Grande-Duchesse, etc., etc. Numéro un : Mrs Harpye. C'est la femme du sous-secrétaire d'Etat des Transports de l'Empire. Je la fais poser depuis deux heures. Nous réglons ensemble une vieille facture. D'abord, elle m'a débiné dans les milieux officiels et puis il a fallu qu'elle y passe, elle aussi. Elle sait ce que ça lui a coûté. »

Ce disant, il éleva la main droite et la lança en avant après avoir froissé ses doigts comme pour en faire tomber de la poudre d'or, en cette admirable mimique commune à tout le Levant : le geste de la piastre qui roule.

Habib sortit en murmurant quelque chose comme « l'avoir jusqu'au trognon ». (Il avait attrapé un certain nombre de ces images guerrières qui ne sont plus guère utilisées que par les neutres, visiteurs de champs de bataille.)

Il entra, ramenant par la main une dame infiniment grande, à l'air puéril, très vieille, et très noble, toute blanche comme une assiette, les paupières closes.

« Aveugle ? murmurai-je.

— Non. Mais je l'oblige à passer chaque jour deux heures les yeux fermés pour laisser reposer ses paupières. »

Il lui tendit un verre de liqueur, qu'elle but entre ses dents comme des perles noires, et dont elle alla ensuite cracher le contenu dans un lavabo.

« Gargarisme au jus de cresson contre le ramollissement des gencives. »

Tout en parlant Habib avait assis Mrs. Harpye. Il l'enduisit de vaseline, la recouvrit de linges, comme un sculpteur empêche la glaise de sécher, la considéra avec un mépris non pas seulement professionnel et lui cria à la face :

« Avouez qu'on n'aurait pas donné cher de votre peau avant que vous veniez me trouver ?

— Pas cher du tout, admit-elle.

— La beauté, n'a qu'un temps... »

Je fus quelques moments à m'apercevoir que, sous ces propos peu courtois, se cachait une mutuelle estime. Comme deux chats, tantôt ils se léchaient et tantôt ils se crachaient au visage. A l'instant même qu'il la perdait, Habib regagnait Mrs. Harpye par des mots heureux, des gestes fortunés, des redressements d'équilibriste. Elle retrouvait en lui, magnifiés, les procédés les plus grossiers qui lui avaient, à elle-même, valu ses succès de salon : les éloges à bout portant, l'intimidation, les injures, l'invective, cordiale ou désobligeante.

Il attaquait les joues de face, les deux pouces en avant, traitant la cernure des yeux, ramenant ses doigts des tempes au nez, puis prenant le menton au milieu, pour remonter ensuite vers les oreilles.

« Il faut souffrir pour avoir une belle peau.

— Mais j'ai une belle peau, protesta Mrs. Harpye; je n'ai presque pas de rides.

— Ce sont les belles peaux qui ont des rides. »

Bibi se mit à chantonner comme il faisait enfant, dans les vergers pleins d'oranges d'Aïn Sofar :

Lumière de mon cœur;
la fleur du jasmin
ira au fond de la rivière,
avant que je sois las de toi.

Il pétrissait, en mesure, ce visage précieux, travaillant ce cuir rare, avec des ahans. Puis soudain :

« Allez-vous, oui ou non, laisser les Français envoyer leur navire de guerre ?

— Je n'y suis pour rien. J'ai remis à mon mari votre memorandum. Il dit que la faute en est au F.O. si le bateau n'est pas arrivé. »

Habib s'arrêta, menaçant, au plafond ses mains lourdes de pâte.

« Pas du tout; j'ai mes renseignements. Ce sont ses bureaux qui insistent pour que la chère France ne soit pas représentée dans nos eaux territoriales. »

Il la menaça d'une brosse à sourcils :

« Sachez que je vous tiens pour responsable. A quoi vous sert d'être de la franc-maçonnerie des « Ames », cette association féminine secrète de théosophie, etc... etc... qui étend son influence jusque sous la table du Conseil des ministres. Dites-le ce soir à votre époux, puisque vous partagez sa chambre... (à ce propos, n'oubliez pas de vous peser avant de vous mettre au lit) dites-lui bien que les massacres vont recommencer. Voyez ces télégrammes de nos comités... Le temps presse. Prompt secours ! »

Les doigts gras s'écrasaient sur les télégrammes blancs.

« Peut-être cesserons-nous d'arroser le monde de notre sang, peut-être... »

Elle ouvrit des paupières engluées et fixa le jour d'un œil rose et austère.

« Vous m'embêtez, Halabi, mais vous m'êtes indispensable. »

Il faut avouer qu'à l'encontre de beaucoup de ses compatriotes qui insistent peu volontiers sur leur origine et cherchent à l'Ouest, à la faire oublier, Habib était un patriote fervent, encore qu'il se gardât de sacrifices personnels. Le nationalisme l'avait depuis peu touché de sa grâce : sentiment hargneux et solennel qu'il imposait volontiers à ceux qui, comme Mrs. Harpye, ont renoncé depuis la guerre à savoir à quelle réalité géographique correspond une récente nationalité, et se contentent de s'incliner avec politesse chaque fois qu'on agite un étendard nouveau.

Elle l'écoutait, consternée, n'osant l'interrompre, prête à de nouvelles avanies pourvu qu'il effaçât sa patte d'oie.

Habib, tout en discourant, la recouvrit d'un faux visage de caoutchouc qu'il noua sur le dessus de la tête et qui substitua à la face pâle un immobile masque rouge. Comme il lui interdisait de revenir avant que la question du navire de guerre fût réglée à sa satisfaction, elle trépigna :

« Je vous hais ! Vous êtes un affreux Levantin ! »

Des larmes coulèrent sur cet imperméable...

« Fi ! le brutal, dis-je à Bibi, quand Mrs. Harpye eut quitté la salle. Elle ne reviendra pas.

— Pas revenir. Ah ! là ! là ! Elle porte sa honte avec joie, comme un chien son fouet. Sais-tu ce qu'elle m'a dit en partant : « Quand commence-« rez-vous mon traitement de la couperose à l'élec-« trolyse ? » Voilà où nous en sommes ! D'ailleurs elle nous invite à dîner, jeudi. »

Il était magnifique, évidemment. Sa poudre de riz était tombée et déjà une barbe orientale, soudée aux cheveux, entrant dans la bouche, trou où était enfoui un trésor dentaire, repoussait. Ses yeux fascinaient. Son corps en travail dégageait un fort parfum animal à travers sa chemise de soie; en transparence on devinait un épais plumage. Je me rappelai que l'été, quand nous nous baignions au Vieux Port, le major se moquait de Bibi « velu comme un ours ». Il portait indûment sur lui cet air assuré, ces gestes formels des grands vagabonds, captivant comme un de ces conteurs d'histoires qu'on voit encore dans les cafés d'Orient et qui rapportent une nouvelle braise quand celle du narghilé s'est éteinte.

Cette fois-là, ce fut dans la salle des traitements électriques.

— « Veuillez... Mademoiselle... veuillez... »

Miss Pamela Moyss, qui, à Drury Lane, n'entre jamais en scène que par les trappes, en chat albinos, poursuivie par Georges Graves, et n'en sort que par les cintres, suspendue à un fil d'acier, pour que toutes les écoles publiques puissent voir le spectacle bi-quotidien de ses cuisses pendant toutes les vacances de Noël, se trouvait étendue nue, le dos sur la table opératoire, semblable à une nymphe folâtrant l'été sur une prairie en émail blanc. Ses jambes étaient si souples, si détachées du corps, qu'elles semblaient une autre paire de bras.

Il m'apostropha :

« Tiens-moi cet appareil. Mais non ! Il y a un manche d'ébonite, ce n'est pas pour les chiens ! »

Il se penchait au-dessus de ce très célèbre squelette comme pour une leçon d'anatomie.

« Je la trouve fine et délicieuse, dis-je.

— Provocante au possible, en première page de *The Stage,* avec beaucoup d'aigrettes. Regarde ce qu'il en reste. Pas de bassin, la peau du ventre collée à celle du dos... »

Un tampon à la main, relié par un fil vert à un cabinet orné d'ampèremètres aux yeux ronds, où de petites aiguilles vacillaient d'émotion et d'interrupteurs alignés sur un clavier de marbre blanc, Habib promenait sur Miss Pamela comme sur une route pierreuse, un rouleau métallique.

« ... Dos rond, colonne vertébrale déviée par l'excès des sports... »

Il discutait d'un ton glacial, au milieu des étincelles, cette pièce d'amphithéâtre.

« N'aie pas peur, elle ne cause pas mot de français. Et puis, même si elle pigeait : des idiots ceux qui croient que les femmes à succès attendent de s'entendre dire qu'elles sont belles. Ce qu'il faut leur servir, c'est du pessimisme. La plus bath dit : « J'ai si peu de confiance en moi. » On croit qu'elle charrie ? Pas du tout. J'abonde dans leur sens; je suis un agent provocateur des femmes, comme mon père, Chafik le compatissant, quand la récolte des cocons ne marchait pas, était un agent provocateur des Turcs. Un des secrets de notre succès, à nous autres Orientaux, c'est qu'il ne nous vient jamais à l'idée de douter de nous, tout en doutant toujours des autres.

— Et allez donc ! Je raccommode le bois, le fer et la porcelaine.

— Tu blagues, mais quand on pense ce que la beauté coûte aux autres hommes et ce qu'elle me rapporte ! Vois celle-ci... Le tout est de savoir s'il vaut mieux être enlaidie par la sagesse ou fatiguée par les plaisirs ?... Ah ! elle n'est pas de celles qui dorment tout le jour pour paraître plus jeunes le soir ! Tu parles d'une noce ! »

Miss Moyss, en effet, un grand voyou turbulent, toujours crevé, jamais las, dribblant les bouteilles à travers sa maison, le nez rougi par les faux frimas de la cocaïne qu'elle recevait de Darmstadt par pigeon voyageur, se livrant à des excès de table — dessus et dessous —, entretenant de belles Russes, etc...

Des machines statiques, de forme étrange, terminées par des bras de verre ou des boules de cuivre, dogues enchaînés, tendaient à de petits balais provocateurs des surfaces de plomb.

« Voilà qui va vous caresser, ma jolie, comme un plumeau aux fines plumes et répandre de « douces efflouves » « de la foulgouration ».

Miss Pamela, les jambes en l'air, apprenait un nouveau rôle.

Nous descendrons sur Brighton
Voir si le champagne est salé
Au bord de la mer
Au bord de la mer...

« Comme vous me chatouillez ! dit-elle. C'est agréable. »

Habib la coiffa d'un casque vibratoire et l'assit sur un tabouret isolant. On eût dit quelque séance de pose pour un monument guerrier. Puis, au-dessus de sa tête, il fit avancer sur des rails une douche en pointe, dirigeant sur la patiente des stalactites à l'air mauvais.

« Ces excitations rythmées sont particulièrement indiquées par leur tonicité, pour les cas d'anémie, de malaise, de vague à l'âme... »

A ce moment la voix de Mme Halabi se fit entendre.

« Bibi ! Bibi !

— Maudite soit sa religion ! Tu vois comme elle écoutait ! Chaque fois qu'elle entend mettre en marche cet appareil... Je suis avec le zouave. »

Cela parut la rassurer, sans qu'elle cessât pour cela son monologue conjugal, haut clamé, comme des fenêtres, en Orient.

Habib, enfin, approcha sa bouche de la porte.

« Est-ce du roudoudou qu'il te faut ? »

Tout le burlesque de cette comédie clinique apparut. Mais chacun la vivait avec naturel. Miss Moyss attendait en mâchant de la gomme aux fruits. Les grands bains galvaniques dormaient de toutes leurs boues vertes. La voix de Mme Habib s'éteignit.

« C'est qu'elle n'est pas commode, l'épouse, quand elle est en colère, tu sais. Un jour de rage, elle m'a jeté un gramme de radium dans les cabinets. »

Sur un signe qu'il me fit, je tournai une

manivelle, immergeant les éléments d'une pile.

Il brandit soudain des éclairs. On entendit des déchirements soyeux, des claquements de fouet. Cela me rappela les expériences de physique amusante de Maskelyne et de son *Théâtre de Mystère*.

« Mets ton doigt sur elle. »

Je touchai Pamela et fus parcouru de décharges. Il me tenait, je la tenais, tous trois traversés d'un même fourmillement, comme pour une farandole électrique.

C'est alors que commença sérieusement le travail.

Une foudre alarmante mais domestiquée, tomba d'un coup, du plafond, sur Miss Moyss dont les muscles écrasés sautèrent, à peine retenus par leurs tendons; ses rares parties charnues s'effondrèrent. Comme sous l'effet de la terreur, son système pileux d'un coup s'irrita et, tandis que ses cheveux blonds, tout à l'heure souples comme une étoffe, se dressaient en tremblant, ses seins furent rejetés violemment sur les côtés.

Une odeur d'ozone se répandit et elle qui, chaque soir, suspendue au fil d'acier, s'en allait au ciel, ne fut plus qu'un démon électrique, pythonisse tordue par les aveux, hérisson éclatant, encagé dans des barreaux de feu violet que lançaient des balais de cuivre, sous un jour livide pour lequel on ne conservait plus d'espoir.

Un après-midi que nous bousculions les rhododendrons du parc, en nous promenant, et que Habib m'expliquait qu'il pouvait aussi guérir à distance et traiter ses clients par correspondance, j'en fus irrité et je l'assimilai sans détour aux charlatans des quatrièmes pages de journaux. Il agita le rubis de son doigt comme un fanal rouge au départ des trains.

« Qui sait si cela n'est pas la vraie médecine ? répondit-il. A chaque moment, les professeurs de Faculté font les mêmes gestes que les sorciers nigériens. Des siècles séparent les incantations des anesthésiques pour un résultat à peu près identique. Connais-tu seulement l'histoire des médicaments ? Des maladies ? Des appareils de prothèse ? Naturellement non, et personne. »

Il sortit un porte-mine en or, rédigea un mot au crayon sur sa carte et me la remit.

« Il s'agit de comprendre. Va demain chez Sir Charles Vallery Succombes, un homéopathe canadien de mes amis. Il est absent, comme tous les gens célèbres. Mais on te fera visiter son musée d'histoire de la médecine, qui est une des merveilles inconnues de cette ville à mystères. L'accès en est malaisé, mais Habib ouvre tout. »

C'était vrai. En plein Londres, dans Wigmore St., la rue des antiquailles, des ennuyeux Delft polychromes, des modistes de la Cour et des pédicures.

J'entrai dans une petite maison habillée en bourgeois, meublée de grands monuments de bois sombre et très frotté. Après quelque attente j'eus accès dans une galerie vitrée qu'il eût bien fallu de cinq à six minutes pour parcourir très vite à pied. De chaque côté d'un triomphal sentier de linoleum, des vitrines exposaient scientifiquement toute l'histoire de la médecine depuis les premiers charmes jusqu'aux appareils de précision de ce temps.

Ce cabinet de curiosités naturelles déroulait ses enfantins talismans : amulettes de momies; petits pieds de taupes séchés dans des gaines de soie ancienne, contre l'épilepsie; clés auxquelles étaient attachés des aérolithes troués, contre les cauchemars; mains gantées de rouge aux deux doigts tendus, telles qu'il en pend des balcons napolitains; fétiches; pierres à guérir polynésiennes; reliques de l'an mil et autres tricheries saintes, nées d'une semblable foi.

Comme je passais sans remarquer l'histoire des yeux artificiels, un vieux domestique semblable à un invalide de Chelsea et qui me suivait, me le reprocha. Habib présent m'eût expliqué qu'à un âge où la médecine en était aux recettes primitives, les soins esthétiques prenaient déjà leur essor. Dès l'Antiquité, d'évidents progrès dans l'art de repousser les attentats à la beauté : yeux égyptiens d'albâtre, fausses cornées en coquille d'œuf d'autruche, yeux d'argent romains, yeux italiens du XVIIe siècle, démontables. Tout d'un coup, un bond, vers 1815 : les premiers yeux de porcelaine, des yeux français, d'une fixité indiscrète, d'un étonnement burlesque, vitreux, pour regarder rentrer les Bourbons.

Ensuite, les instruments d'accouchement à travers les siècles répétèrent leur travail d'écartèlement : celui-ci, dilateur du temps d'Auguste, ou ces forceps monstres pour des enfantements de déesses. Au mur des papyrus, des enluminures, des scènes de maternités traversées d'un même cri terrible, saluant notre sanglante arrivée ici-bas.

Maintenant apparaissaient des seringues, canules d'os, bambous troués, clystères d'étain, comme de la grosse artillerie, pompes à pus semblables à de longs sifflets d'ivoire, ornés de fières devises nobiliaires.

Je connus ensuite l'histoire des couteaux d'amputation depuis les silex taillés, les flèches du Pacifique à percer les abcès, les scies à main des grandes batailles historiques, les vilebrequins à trépaner, là, sur cette table d'opération hollandaise, qui rappelait les chevalets maudits du musée de La Haye.

Je descendis quelques marches et me trouvai dans la section des pièces anatomiques.

Mystères du corps humain, d'abord un vase clos, seuil sacré dont l'accès était défendu par les religions, traité de l'extérieur par des incantations ou des rites, les furtifs essais de dissection, les figurines d'ivoire arabes dont le ventre, comme un couvercle, se levait, montrant en miniature les organes internes et le fœtus, en coupe; puis les figures anatomiques françaises du XVIIIe, cires blêmes, si exactes déjà; sur une table en bois de rose, marqueterie plus précieuse encore, était dépecé jusqu'au cou un délicat corps de femme aux cheveux poudrés qui dormait son sommeil de faux cadavre. Et comment oublier cette curieuse dame du Premier Empire, de grandeur naturelle, ouvrage napolitain, fendue dans sa longueur, moitié en robe néo-grecque, moitié en squelette comme si la morte, en sortant de la tombe, avait laissé sous la dalle la moitié de sa toilette; et aussi ces statuettes japonaises, sur lesquelles, pour éviter d'avoir à se dévêtir devant le médecin, on indiquait au pinceau l'endroit du mal.

Certainement la plus complète collection de crânes que j'aie vue — et j'aime ces parties de boules — crânes aux tons cuits de caramel ou blanchis de chaux ou patinés, crânes arabes où l'on voyait, gravés, des versets du Koran, inscrites des marques de tribus; crânes des Incas, incrustés de turquoises, d'argent et de nacre, crânes tabous dans leur gaine de cuir, affligés de stries peintes violemment, crânes congolais pleins de clous votifs et ces mystérieuses têtes humaines que, par un procédé secret, les Péruviens réduisent à la grosseur du poing, petites grimaces noires ayant gardé dans leur rétrécissement leurs proportions, les cheveux eux-mêmes rapetissés, sapajous exquis.

Comme je m'apprêtais à sortir, mon conducteur qui me précédait, comme une sorte de chef de chant funèbre, satisfait de m'avoir vu gravir ces degrés d'initiation, me fit signe de descendre à sa suite par un escalier d'acier. Après deux étages, l'électricité soudain éclaira une suite de caves et je saluai tous les dieux du monde curatif et leurs prêtres, thérapeutes ou pharmaciens. Dieux de l'Olympe à barbe de banquiers grecs, dieux mexicains cornus à face de grenouille, divinités ityphalliques de Nouvelle-Zélande au rire noir, statues aztèques de la Mort, démons cafres à chapeau haut de forme, devins nègres à colliers de pattes de rat, à barbe de rafia, prêtres chinois tenant des coupes de rhinocéros pour décanter les poisons, Pelletier et Caventou découvrant les dix alcaloïdes, effigies de médecins victoriens à favoris, avec les bannières de corporation et leurs diplômes et, toute pâle encore de son assassinat, sur un trône, la blanche figure de miss Cawell.

A mesure que nous avancions, je distinguais dans l'obscurité des instruments mauvais qui avaient poussé là, hors de toute académie : chaises percées, fauteuils à accouchement, béquilles, ceintures de chasteté, avec un luxe de serrurerie inconnu de nous, sièges de torture chinois à couteaux dorsaux, masques de fer allemands pour marcher au supplice, fouets à clous espagnols, des appareils de fumeur d'opium saisis dans l'East End, des soufflets de forge du temps d'Elisabeth pour ranimer les asphyxiés, des cannes de médecins avec des stupéfiants dans le pommeau démontable, des ex-votos en terre cuite figurant des paquets d'intestins, des hernies, des ovaires, des langues; des bras mécaniques forgés, délicat travail du XVIIe siècle où l'on retrouvait la grâce sévère des meubles de l'époque; des urinals syriaques dont les reflets irisés sortaient de l'ombre, de sinistres poupées pour les envoûtements, percées d'aiguilles de cactus; une collection de tous les objets ayant traversé le corps humain, verres, cuillers, encriers; des œufs de crocodiles empoisonnés pour le suicide des chefs de caste, des bols contre la maladie du sommeil, des poires à lavements de cuir noir rehaussé d'or pour faciliter les déjections royales et des cocos testiculaires pendus au plafond des harems pour provoquer la fécondité.

Soudain, me barrant le passage, une inhumaine apparition qui tenait du champignon et de l'asticot, comme on en voit grouiller au fond des œufs du divin Jérôme Bosch et des Flamands de son école expressionniste, me provoqua. Elle était vêtue d'un manteau en ciré, couleur de pus, sans figure, éclairée d'yeux de chouette séparés par cet effroyable bec noir des masques de comédie italienne, un nez plein d'herbes aromatiques : j'avais devant moi un mannequin de médecin des Grandes Pestes de Londres. Premier invité de toute une fête souterraine : scènes cliniques dont les personnages, dans ces caves sans air, frayant leur chemin à travers les câbles, les égouts, évitant le métropolitain, rejoignaient pour des consultations, leurs frères voisins du musée Tussaud. Alchimistes, à leur antre où, dans les eaux bitumeuses du plafond, naviguaient les crocodiles, les poissons volants, parmi les graines de pavot; provoqués par une braise de théâtre les alambics monstrueux éprouvaient les effets des formules géantes inscrites sur les murs, distillant des liqueurs roses. Ici, la boutique du barbier, où un homme, lié par les bras aux jambes de l'opérateur, se faisait scalper dans une flaque de sang; là, Liebig dans son premier laboratoire, sourd aux cris d'un fou du règne de Georges Ier, enfermé dans un cabanon de l'époque, soigné avec les instruments du bourreau. A l'aise, à son étalage Louis XV, un apothicaire turc, parmi les ramures de cerf, les cornes de narval, les pots d'onguents en majolique, pesait dans ses balances gravées un mauvais café qu'il m'offrit.

.. ..

Habib avait raison. Ces sorciers, ces rois qui guérissaient par leur prestige, ces primitifs chirurgiens de l'âge de pierre qui trépanaient pour permettre aux démons de s'enfuir par les trous, ces médecins mythologiques, ces distillateurs de mystère, devins divins mieux que tous les apothicaires de Faculté, il en continuait les traditions empiriques, plus près qu'eux de la vérité parce que sans orgueil; allant vers les forces les moins connues et les plus redoutables, les asservissant ou en sympathie avec elles, inspiré sans doute par ces dieux orientaux qui reposent dans la poussière de son village et tout d'abord par le premier qui, cinq mille ans avant Jésus-Christ, protégeait la Chaldée médicale, Oannès, le Dieu des Profondeurs, que je venais de connaître pour ne plus l'oublier jamais. Je sortis, décidé à dire à Habib que son art rejoignait évidemment la métaphysique qui, depuis Hippocrate, a été par erreur séparée de la médecine.

*

Nous sommes une vingtaine d'invités. La maîtresse de la maison n'est pas encore là. Après un moment de gêne tout le monde a fait connaissance, comme au premier jour d'une traversée. Voici enfin Mrs. Harpye, toujours si pressée qu'elle n'attend pas d'être parmi nous pour parler. Encore au haut de l'escalier, elle nous apostrophe. Elle entre en courant, son lamé d'or à la main, se mord les lèvres, nous offre un sourire en autant de parts que nous sommes d'invités.

A quelques personnes :

« Tiens, vous dînez chez moi ? Comme je suis heureuse ! »

Habib la salue avec cérémonie. Il a pour les bijoux ce premier et imperceptible regard attendri des Orientaux, qu'en se relevant, déjà, il n'a plus, ce regard de long en large, puis de bas en haut qu'on appelle, là-bas, par dérision « le signe de la croix ». Il contemple ce musée d'épaules parées, de poitrines prêtes pour les fastes de la nuit, comme un auteur entend réciter ses œuvres dans un salon.

Il porte un habit à boutons de jais et qui doit sa forme cintrée, non à une bonne coupe, mais à un élastique. Sa boutonnière, fleurie, comme d'une salade pâle, d'un camélia arrivé le soir de Nice par le Riviera Flower Express. Comme disait de lui, l'autre soir, un Italien : *tutto vestito di lusso,* tout vêtu de luxe.

A table, il est à la droite de Mrs. Harpye, étranger de marque. Un lord Justice lui fait pendant. A ce tribunal alimentaire Habib siège, ceint d'argenterie, de bougies, flanqué, comme un prévenu sûr de ses avocates, de deux dames dont le titre précieux plaide en sa faveur. Gala donné à son bénéfice. Le ventre d'aplomb, les jambes bien calées, il a cet air riche des Levantins qui savourent un parfait à la framboise, en se faisant cirer les bottes. Mrs. Harpye, la figure ouverte comme un grand magasin, a pris, dès le potage, la parole avec cette assurance et cette supériorité qu'ont ici ceux qui peuvent concevoir et exprimer à la suite plusieurs idées. Sur la table, des allégories en pâte tendre, forment des quadrilles. La glace du surtout réfléchit à l'envers des bouches mâcheuses et l'on s'étonne que la nourriture ne tombe pas dans les narines. Emphase d'un goût atroce, des domestiques nègres en damas blanc passent des ananas sur des plats Charles II.

Parfois une sonnerie. Le maître d'hôtel levait alors le couvercle d'une soupière en Chantilly et en sortait un téléphone qu'il présentait à Mrs. Harpye. Elle plongeait son nez dans l'embouchure comme dans une flûte à champagne. Elle faisait signe qu'on ne s'occupât point d'elle, mais continuait d'écouter de tous côtés. Elle riait et toute sa vie tumultueuse s'enfuyait par ce fil et s'en allait se perdre sous terre, comme la foudre.

Elle voulait une conversation générale; aussi faisait-elle le siège des convives lents qui ne sortaient d'une pensée assourdie que pour entrer dans l'ivresse. Elle parlait comme elle avait vécu, à tort et à travers; aimant en zigzag, ayant supprimé la nuit, brûlant son linge une fois porté, ignorant nos manies, le pardon, ce blanchissage, méprisant les radicaux, leurs filles sans dot, leur prononciation sans h, mais les tolérant parce qu'ils disposent de la prairie et des vice-royautés.

Malgré tout, les conversations particulières reprenaient ce cours régulier qu'elles doivent avoir ici, coulant jusqu'au deuxième service dans un sens, puis se retournant ensuite automatiquement, chez tous les convives, pour descendre le repas en sens inverse. Mrs. Harpye s'agite comme si un des courants alternatifs de Hanover Square passait dans sa chaise :

« Habib est tout à fait impossible. Hier soir, on a dit ici des vers. Il a jeté M. Asquith dehors, lui disant qu'on était entre gens du monde et qu'on n'avait que faire d'un damné homme de loi. Tout ça parce que mon mari refuse de s'intéresser aux minorités non musulmanes... »

Elle regarde Habib avec orgueil, comme ces jardiniers de Kew Gardens contemplent le dimanche les fruits exotiques qu'ils ont réussi à faire pousser, malgré le climat. Elle le méprise, mais elle a foi en lui. Elle l'élèvera jusqu'à la pairie, mais jusqu'à elle ?...

Elle dit :

« L'Irlande eût été calmée un an plus tôt si le vice-roi avait écouté Habib. »

Ou encore :

« Habib pense avec raison que les guerres sont des phénomènes cosmiques. »

Mais elle dira aussi bien, à travers la table :

« Habib, faites-vous couper les cheveux ! »

Ou :

« Vous êtes un affreux Levantin au cou sale. »

Habib encaisse, sachant bien qu'il aura le dernier mot et qu'il les roulera tous; quant à Mrs. Harpye dès le lendemain, il la retrouvera, elle et ses rides; il la fera pleurer, car c'est une enfant. Il ne restera de tous ces vains mots que cette rancune permanente qui n'est pas la part la moins douce de nos amitiés.

On servit le café avec des sucres de trois couleurs. J'en pris du rose, en cristaux, comme les sels pour le bain.

Je dis à Habib, au fumoir, que je l'avais admiré, entre ses deux voisines. Il réunit ses ongles sur ses lèvres, les lançant ensuite en avant sous la poussée de quelque bouquet invisible, magique, qui lui fût sorti de la bouche, et fit claquer sa langue.

« Tu n'as pas beaucoup vu mes mains, dis ? »

Et il me donna, sur le gousset, une tape qui fracassa mon verre de montre.

Autour de nous des dames, drapées comme les plantes d'appartement, avec des traînes qui dessinaient des évolutions. Les unes, pleines d'autorité, avec le diadème posé en casquette; d'autres avec des feux de Bengale aux oreilles et un regard si mou qu'elles semblaient dire : « Vous me tuez. »

« Si diverses, dis-je, et pourtant si semblables. » « La mienne nue ressemblerait à la tienne nue », déclare Faust à Wagner, phrase qui inquiéta ma dixième année.

— Rien de ce qui est le corps de la femme ne m'est indifférent, fit sentencieusement Habib. Je le pétris, le déforme, le reforme. Mes récréations ne durent pas, mais qu'est-ce qui dure ? Et les siennes donc ? »

Du doigt il indiqua Dieu, au-dessus d'un lustre qu'un aigle, peint au plafond, tenait dans son bec.

« Au moins, moi je préviens. Aux vieilles qui sortent de mes mains, je dis : « Allez et faites vite, « car vous n'en avez pas pour plus de deux heures. » Ingénieux, dévoué et optimiste, je répare en première ligne dans cette bataille d'où elles reviennent chaque fois plus blessées... »

A ce moment, un domestique vint dire à Habib qu'on le demandait au téléphone. Il fit répondre qu'il ne se dérangerait pas, qu'il ne comprenait pas les Anglais quand ils parlent, parce qu'ils ont toujours de la bouillie dans la bouche, pria qu'on prît la communication chez lui.

« ... C'est pourquoi, continua-t-il (se croyant, comme le moindre ânier levantin, le centre du monde), toutes les femmes sont mes alliées. Dès qu'il y en a une quelque part, je m'introduis. Nous nous entendons tout de suite, comme les deux pôles d'une même pile. Dieu sait si j'ai été mis à la porte dans ma vie ! Tu me croiras si tu veux : jamais par une femme. D'un coup d'œil, comprends-tu, je les vois par l'intérieur, même sans l'aide de ces lampes d'exploration, grâce auxquelles, à la lettre, on descend aujourd'hui en elles. Je sais ce qu'elles aiment, qui elles aiment, leur âge, leur passé, et avant elles-mêmes, souvent, je devine le secret d'une maternité. Ça t'épate ? Vois-tu, Bibi est là et il n'est pas là : il n'est pas médecin et il est bien plus que ça; il fait tout et on ne lui fait rien; et comme il s'est toujours gardé d'appartenir au monde, le monde lui appartient. »

Il continuait ainsi, vantard, se distribuant automatiquement de gros compliments dorés, engageant l'avenir des autres, sans compromettre le sien, chassant les soucis d'une main si légère qu'on l'avait jadis employé, à Naples, à écarter les mouches, aux devantures des pâtisseries. (Il les cueillait sans toucher au sucre en poudre, ce qui était apprécié de la clientèle.)

Le domestique revint, se permit d'insister, lui apporta l'appareil sur un plateau. On téléphonait de Putney.

« J'écoute. Ah ?... Ah ?... »

Habib tourna vers moi la tête, sans cesser d'écouter, fit la grimace et changea de couleur.

« ... Qu'elle ne bouge absolument pas. Je viens. »

*

.. ..

Une limousine, sa face nickelée au-dessus de la boue, vint ranger le long du trottoir ses pneus blancs. Une pluie maritime lavait le square, effaçant les tableaux au pastel que tracent sur les dalles les sans-travail mutilés. On était surpris que le trottoir ne tanguât point. La nuit, comme un sorbet après le bal, tournait en eau. Le vent glissait, ébranlant les fenêtres à guillotine, mais sans les joyeuses claques des persiennes qu'il administre aux façades de chez nous.

Habib releva le col de sa pelisse, laissant une meurtrière pour le cigare, les pieds dans la couverture. Au fond de l'ombre trois réverbères vinrent allumer trois fois ses yeux.

« A force d'entrer chez les femmes par la porte des fournissseurs, dit-il, on finit par être au courant des secrets de toute la maison. On fait les commissions; on répare, on bricole; y a toujours plus ou moins à s'occuper dans ces usines-là. Si tu savais ce que c'est solide, ces frêles machines ! Dures comme l'espoir. Elles font des choses... que les hommes y laisseraient cent fois leur peau ! Et tout ça, parce qu'elles ont le goût de vivre chevillé en elles... Tu vas en voir une qui est bien malade, à ce qu'on me dit. Elle aurait pu faire appeler le vieux médecin de sa famile (tu sais, les médecins anglais, à part quelques-uns qui ont travaillé en Allemagne...), pas du tout : elle fait demander Bibi ! Et pourquoi ?

— La nuit, dis-je en le regardant, porte conseil, d'étranges conseils... »

D'obscures cheminées quadrangulaires escaladées de lettres blanches, des boucheries de viandes australiennes congelées par les lampes à arc, des affiches géantes vinrent se ranger sur notre passage.

Après le pont de Putney, Habib prit en main le tube acoustique et dirigea le chauffeur. Nous grimpâmes d'abord la rampe. Arrivés sur le plateau, la lande apparut, ornée d'arbres noirs, nus comme des salsifis.

Une moto nous croisait parfois, sous la pluie, avec des ratés, portant une grappe humaine. Une dame en décolleté passa à bicyclette sur la route fraîchement goudronnée.

Les souliers vernis de Habib poussaient des cris émouvants. Nous laissâmes à notre droite Putney Common et son gazon usé par les matches de cricket du samedi et que les moteurs dévissés avaient souillé d'huile; nous arrivâmes à une villa gothique, en briques.

Au fond d'une allée, dans le lierre ruisselant, une vieille lanterne surmontée d'une couronne de zinc ajouré. Des rideaux empesés. Une porte qui, dès notre arrivée, s'ouvrit. Une nurse aux lèvres fermées nous fit entrer dans l'antichambre parée d'une pirogue maori, de panoplies, de zagaies et d'une chaise à porteurs transformée en cabine téléphonique. Nous montâmes un étage et traversâmes des pièces de chintz jusqu'à la rencontre d'une forte odeur phéniquée.

« *Sale manière,* dit Bibi, malgré tout impressionnable.

— Elle s'est plainte toute la soirée; et puis s'est tue, subitement. Alors ça s'est mis à couler. Rien ne l'arrête », expliqua la nurse.

Une jeune femme cireuse, très belle, les yeux gravés d'un cerne bleu foncé, les lèvres blanches, était étendue sans mouvement, dans le lit. Elle ne parut pas nous voir. Autour d'elle, des cuvettes rouges, des éponges rouges, des serviettes rouges; les draps eux-mêmes traversés... On entendait audessus de nos têtes les pas pressés des domestiques qui cherchaient du linge de rechange.

Je n'oublierai jamais Habib. Soudain très calme. Il ne disait pas : « ce n'est rien » ou « tout est perdu » ou « il faudrait une consultation ». Il se promenait en habit autour de cette jeune femme évanouie d'où la vie s'écoulait, aisé, audacieux, précis comme un prestidigitateur mondain. Après avoir réfléchi, il ôta son habit, retroussa sa manche de chemise jusqu'à l'épaule — j'entends encore le bruit agaçant du bouton contre la manchette, et les jeux cartonnés de son plastron de chemise. Il se savonna à la brosse les ongles, les mains, les bras, jusqu'aux biceps.

« Prends cette ouate et cette serviette », me dit-il.

Je le vis résolument rejeter les draps, mettre à nu une fois de plus un corps exquis, de pâte tendre, le pénétrer de tout l'avant-bras et le pétrir jusqu'à ce que son dos en sueur s'imprimât à sa chemise.

Cela dura. On entendait au loin une auto attardée couper un silence affreux.

Soudain, un rossignol...

Habib soufflait, prenait haleine un court moment, sans se redresser, comme un lutteur, puis recommençait.

Enfin il se leva, peint comme un boucher. Un sourire. Le sang ne coulait plus. Déjà la vie revenait. Il demeurait immobile, sûr de sa force, fier de sa vitalité, de cette énergie qui lui faisait oser et vaincre, traiter la Mort en familière, la reconduire chez elle à coups de savate.

.. ..

Je m'assis accablé de fatigue, le cœur tourné. Mais déjà Habib était rhabillé et :

« Dépêchons-nous, dit-il, j'ai promis au ministre d'être revenu à temps pour son poker.

Paris, 1922.

TABLE

BRODARD ET TAUPIN — IMPRIMEUR - RELIEUR
Paris-La Flèche-Coulommiers. — Imprimé en France.
1473-5-07 - Dépôt légal n° 7557, 3e trimestre 1968.
LE LIVRE DE POCHE - 6, avenue Pierre Ier de Serbie - Paris.
30 - 11 - 2413 - 01

30/2413/0